Jonathan Mina Drácula

DRÁCULA

RBA MOLINO

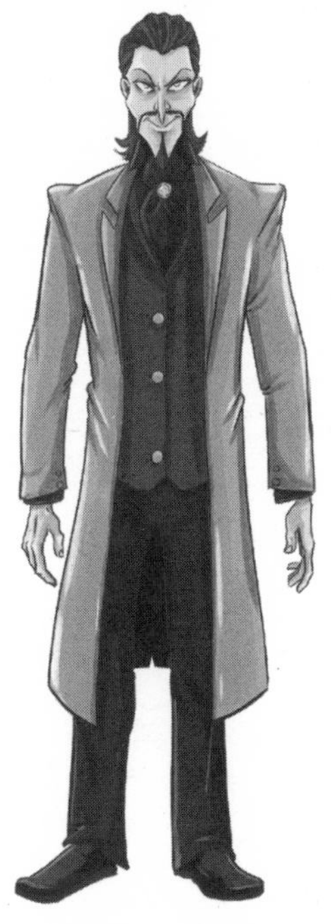

Adaptación de Javier Rodrigo
Ilustraciones de Antonio Navas

RBA

Título original inglés: *Dracula*.
Autor: Bram Stoker.

Avda. Diagonal, 189 - 08018 Barcelona.
rbalibros.com

Diseño de la colección: Lookatcia.com.
Realización editorial: Ormobook.

Primera edición: abril de 2019.
Primera reimpresión: junio de 2019.

RBA MOLINO
REF.: MONL536
ISBN: 987-84-272-1625-9
DEPÓSITO LEGAL: B.1.189-2019

Impreso en España · *Printed in Spain*

Capítulo I

Diario de Jonathan Harker

Bistritz, 3 de mayo.– Por fin estoy en Transilvania. El viaje ha sido agotador, sobre todo por la última etapa. Desde que salí de Múnich el 1 de mayo, a medida que me alejaba hacia el este de Europa los trenes eran cada vez menos puntuales. La huella que han dejado los turcos se nota mucho en Budapest, donde tuve la impresión de que dejaba Occidente y me adentraba en Oriente.

No he visto todavía al conde Drácula, el cliente de mi bufete al que he venido a visitar. En el Museo Británico de Londres no logré encontrar ninguna información sobre el castillo en el que vive. Los archivos del museo están llenos de mapas, pero muy pocos son de la zona de los Cárpatos. Sí pude averiguar que esta cordillera se encuentra en una de las zonas más remotas de

Europa; además es una región donde abundan las supersticiones.

El hotel en el que me hospedo, recomendado por el propio Drácula, es un establecimiento muy anticuado. Me gusta que sea así, por las posibilidades que me abre para empezar a conocer las costumbres del país. La dueña del hotel, una señora mayor que viste como las clásicas campesinas de la zona, me ha entregado una carta del conde. En ella me da la bienvenida a su país y me pide que mañana tome la diligencia que va a Bucovina. A mitad de camino, tendré que cambiar de transporte y subir a un carruaje que estará esperándome para llevarme hasta su castillo.

A ver si hoy consigo descansar. Ayer por la noche tuve todo tipo de pesadillas. Quizá fuera porque un perro se pasó toda la noche aullando justo debajo de mi ventana.

4 de mayo.- Escribo en mi diario mientras espero la diligencia, que por supuesto llega con retraso. Esta mañana ha ocurrido algo que me ha dejado intranquilo. Cuando he preguntado a la mujer del hotel y a su marido si conocían al conde Drácula, ambos se han santiguado y han fingido no entenderme. No lo comprendo, porque la víspera nos habíamos comunicado sin problemas gracias a mi rudimentario alemán. Más tarde, cuando me preparaba para dejar el hotel, la mujer se ha presentado en mi habitación.

—¿Sabe qué día es hoy? —me ha preguntado nada más entrar.

—Sí, es 4 de mayo —he respondido.

—¡Exacto! ¡El día de San Jorge! A medianoche, todas las criaturas malvadas de este mundo aparecerán y entrarán en acción.

A continuación me ha suplicado que no fuera esta noche al castillo de Drácula. Le he contado que me envía mi jefe, el abogado Hawkins, con el encargo de entrevistarme con el conde. Le he remarcado que de ningún modo puedo dejar de cumplir con mi deber. Resignada, la mujer me ha entregado el crucifijo que llevaba al cuello, y también me ha regalado un rosario. ¡Ah, ahí viene la diligencia!

5 de mayo. En el castillo.-Aprovecharé que estoy desvelado para anotar algunas cosas misteriosas. Si este diario llegase a manos de Mina —mi prometida— y yo no pudiera reunirme con ella, por lo menos le servirá de despedida.

Ayer, antes de que la diligencia partiera, la posadera se puso a hablar con el cochero. Sin duda hablaban de mí, ellos dos y también otras personas que se les acercaron. Lo sé porque de vez en cuando me miraban con cara de lástima. Agucé el oído para enterarme de lo que decían. Como hablaban en su lengua, que desconozco, fui buscando algunas de las palabras raras que pronunciaron en mi diccionario multilingüe. Ninguna de ellas

resultaba precisamente tranquilizadora: Satanás, infierno, bruja, hombre lobo, vampiro...

Antes de subir a la diligencia vi que algunos vecinos se santiguaban señalando en mi dirección, lo que me inquietó mucho. Entonces, el cochero fustigó a los caballos y sin más emprendimos la marcha a toda velocidad. Muy pronto divisamos a lo lejos los altísimos y nevados Cárpatos. Por suerte, la belleza del paisaje montañoso hizo que me olvidara del extraño comportamiento de esas gentes y me fui tranquilizando.

El sol se iba ocultando detrás de las montañas mientras el camino, cuyos márgenes estaban llenos de cruces, se volvía cada vez más tenebroso. El estado del firme empeoraba a medida que avanzábamos. Siempre que pasábamos junto a una cruz, los pasajeros se santiguaban. Me explicaron que era la forma de conjurar el mal de ojo. También me dijeron que la carretera se mantenía en mal estado a propósito, para evitar el paso de los militares, puesto que la amenaza de guerra con los turcos siempre estaba presente.

A medida que oscurecía, el frío se intensificó y el cielo se llenó de nubarrones. La pendiente del camino aumentó, lo que provocó que los caballos sufrieran para arrastrar la diligencia. Estuve tentado de apearme y ascender a pie, como hacemos en mi país; así se lo comuniqué al cochero, que me lo prohibió terminante. Me advirtió que los perros que frecuentan la zona son muy peligrosos. Y, a continuación, añadió:

—Ya tendrá suficientes problemas esta noche antes de acostarse.

Los pasajeros se mostraban muy nerviosos: todo el mundo quería llegar a su destino antes de la medianoche. El cochero fustigaba a los caballos sin el menor miramiento, y solo se detuvo para encender los faroles. La diligencia parecía volar y daba tales tumbos que tuve que agarrarme donde pude para no golpearme. Entre la oscuridad, entreví poco después una especie de claridad grisácea. Fue entonces cuando los viajeros empezaron a hacerme regalos de lo más variado, todos ellos muy raros.

Después de un rato en el que los viajeros y el cochero atisbaban la oscuridad como esperando descubrir algo, las nubes de tormenta se disiparon. La visibilidad aumentó lo suficiente para ver que no había ningún otro vehículo por los alrededores. Esto calmó los ánimos, y entonces la diligencia se detuvo. Habíamos llegado al lugar de la cita con el carruaje del conde Drácula. ¡Con una hora de antelación!

—Siga con nosotros hasta Bucovina —me propuso el cochero—. No han venido a buscarle...

En ese preciso momento apareció una calesa. Tiraban de ella cuatro caballos negrísimos, conducidos por un cochero alto, barbudo, con un sombrero que le ocultaba la cara. A la luz del farol, le vi los ojos: me pareció que despedían destellos de color rojo.

—Hoy ha llegado muy pronto...

—El señor inglés tenía prisa —se apresuró a responder nuestro cochero temblando.

—Ya. ¿Por eso le ha pedido que vaya a Bucovina? ¡A mí no me puede engañar! —Su boca era dura, con los labios rojos y los dientes muy blancos y afilados.

Descendí de la diligencia. El enviado de Drácula me ayudó a subir a su coche sin dirigirme la palabra, agarrándome del brazo con una mano que sentí fuerte como unas tenazas. Poco después nos adentrábamos en la oscuridad del bosque.

Me sentía solo y bastante asustado. Apenas habían transcurrido unos minutos, cuando me di cuenta de que estábamos dando vueltas en círculo, lo que verifiqué al tomar unas referencias del camino. Pero no me atreví a preguntar nada a aquel cochero tan inquietante. ¿Por qué se entretenía de ese modo? Consulté mi reloj a la luz de una cerilla y me sobresalté al ver que faltaba poco para la medianoche. ¿Me habría contagiado de la superstición general?

De repente, se oyó aullar a un perro y luego a otro, y a otro más, hasta que acabaron por crear un coro. El cochero tuvo que bajar del coche para calmar a los caballos, que temblaban de pánico y amenazaban con desbocarse. Primero les habló con suavidad y, más tarde, cuando quedó claro que los aullidos eran emitidos por los lobos, tuvo que emplearse a fondo conteniéndolos con las riendas. Una vez que los hubo calmado, los acarició como lo haría un domador. Tan pronto como el conductor se sentó en el pescante, reemprendimos la marcha al galope en mitad de una fuerte ventisca.

Avanzando a través de un túnel formado por árboles, rodeados de altos y amenazadores peñascos, la nieve cubrió de blanco todo a nuestro alrededor. Los aullidos de los lobos se oían cada vez cerca y, aunque yo estaba muy asustado, logré ver en medio de la oscuridad el parpadeo de una llama azulada. El cochero se bajó de un salto, se adentró en la oscuridad y al rato reapareció dispuesto a reanudar la marcha. Más tarde, como en sueños, me pareció que repetía la operación y se dirigía de nuevo hacia la llama para dibujar con piedras un círculo en torno a nosotros. ¡A pesar de interponerse entre la llama y yo, extrañamente su cuerpo no tapaba la luz! ¿Acaso era transparente? Debía de ser un efecto óptico, pensé, atribuyéndolo al cansancio.

La luz de la luna me permitió comprobar que estábamos rodeados de lobos, que nos vigilaban con sus blancos colmillos y las lenguas rojas colgantes. Su silencio me paralizó de terror. De pronto empezaron a aullar, los caballos se encabritaron, y yo, con el ingenuo propósito de ahuyentar a los lobos, me puse a gritar y a golpear la calesa. De esta forma pretendía que el cochero pudiera escapar de los lobos y refugiarse en el coche. Pero el hombre, que permanecía inmóvil en medio del camino, logró que los lobos retrocedieran con solo hablarles autoritariamente y agitar los brazos. Parecía un milagro.

Después de un ascenso interminable, la calesa se detuvo en un gran patio, ante un enorme castillo en ruinas cuya silueta se recortaba iluminado por la luna. Pero no vi luz en ninguna de sus ventanas.

Capítulo 2

Diario de Jonathan Harker

5 de mayo.– El cochero saltó al suelo del patio para ayudarme a bajar de la calesa. De nuevo sentí la extraordinaria fuerza de sus manos cuando me cogió del brazo. Era tan fuerte que pensé que podría haberme roto los huesos de habérselo propuesto. Me entregó el equipaje y acto seguido desapareció conduciendo el coche a través de unos arcos. Me quedé solo delante de la puerta, sin saber qué hacer.

¿Qué hacía allí un aspirante a abogado como yo en un lugar tan siniestro?, me pregunté. Sí, por supuesto, me había enviado el señor Hawkins porque su cliente quería comprar una casa en Londres. Bueno, lo de «aspirante» le habría molestado a Mina, puesto que ya

he obtenido el título de abogado. No me quedaba otra opción que esperar.

De pronto, oí unos pasos y entreví a través de la rendija de la enorme puerta una luz que se acercaba. Como ocurre con las puertas que hace tiempo que no se usan, esta chirrió al abrirse. Ante mí apareció un viejo alto, con un bigote blanco y que vestía todo de negro.

En perfecto inglés pero con un acento raro, me invitó a pasar. Una vez que estuve dentro, me alargó una mano fría como la de un muerto. Sin embargo, apretó la mía con tanta fuerza que me hizo daño. Su fuerza me recordó a la del cochero, pero enseguida aparté la idea de que pudiera tratarse de la misma persona.

—¿Es usted el conde Drácula? —le pregunté.

—Sí, bienvenido a mi casa —contestó cogiéndome la maleta antes de que yo pudiera impedirlo.

Me comentó que, al haberse hecho tarde, los criados se habían ido a dormir, y que él mismo me había preparado la cena. Me tranquilizó ver la estancia iluminada y caldeada en la que estaba puesta la mesa. Y más me tranquilizó todavía entrar en el dormitorio, que estaba justo al lado y en cuya chimenea crepitaba un acogedor fuego de leña. Me aseé rápidamente y me lancé sobre un pollo asado que me sirvió el propio conde. No me acompañó porque aseguró que ya había cenado, pero no dejó de hacerme preguntas todo el tiempo.

Sentados al calor de la lumbre, observé al anfitrión. Tenía pelos en las palmas de sus manos anchas, y sus

dedos cuadrados terminaban en unas uñas largas y delgadas. Además de una nariz aquilina, cejas muy pobladas, orejas puntiagudas y unos labios extrañamente rojos, sus dientes eran muy blancos y afilados. Todo su aspecto era de extrema palidez.

En un momento en que se inclinó hacia mí noté su apestoso aliento, y a punto estuve de marearme. Se apartó de mí enseguida que se dio cuenta de lo que sucedía. Luego permanecimos en silencio un rato que se me hizo eterno mientras oía a los lobos aullar fuera.

—¡Qué maravillosa música la de las criaturas de la noche! —dijo el conde. Ante mi extrañeza, añadió que un hombre de ciudad como yo no podía comprender lo que un cazador como él sentía en momentos parecidos.

Ya amanecía cuando se despidió hasta la tarde y por fin pude retirarme a descansar.

7 de mayo.- Dormí profundamente en un sueño reparador y me desperté muy tarde. Sobre la mesa del comedor encontré la comida preparada y una nota del conde en la que se disculpaba por no poder acompañarme. En otras palabras, estaba solo. Porque al parecer no hay criados en la casa, aunque todo aquí sea lujoso, antiguo y esté muy bien conservado. Eso sí, no encontré un espejo por ninguna parte y tuve que afeitarme como buenamente pude. Curioseando por la casa, fui a parar a algo parecido a una biblioteca. En sus estantes había muchos libros sobre Inglaterra. Entre ellos, la lista

oficial de abogados. Estaba echando una ojeada a aquellos ejemplares cuando entró el conde.

—Desde que decidí ir a vivir a Londres —empezó a decir—, leo mucho en inglés, pero me falta práctica para hablarlo bien. Me gustaría que se quedara un tiempo aquí y me enseñara lo suficiente para que no se me note que soy extranjero, para ser uno más...

Así que era esto lo que quería de mí. Conversación para mejorar su entonación y que le hablase de la casa que le había comprado en Londres. Le mostré los planos que llevaba conmigo y le expliqué toda una serie de detalles sobre el lugar y sus alrededores. Pero no tardé en darme cuenta de que sabía más de mi ciudad que yo, que vivo en Exeter.

Analizamos las condiciones de la compra, firmó los documentos necesarios para registrarla y a continuación quiso saber cómo había encontrado aquella magnífica casa. Le expliqué que su nueva finca, Carfax, se encontraba junto a un manicomio. Y también le hablé de mi ciudad, Exeter, y de Whitby, un pueblo de la costa. Todo parecía interesarle mucho.

—Me encanta que la casa sea tan grande y antigua —sonrió, mostrando unos afilados colmillos—. Provengo de una familia con un largo pasado, poseo muchos recuerdos, y sería incapaz de instalarme en una vivienda moderna. También me gusta mucho que haya una capilla en donde puedan descansar mis huesos sin mezclarse con los de otros. Reconozco que me siento a

gusto entre las sombras y la oscuridad, a solas con mis pensamientos.

De repente, se oyó el canto de un gallo anunciando la madrugada. En ese instante, el conde se levantó y dijo que debía marcharse. Antes de abandonar la biblioteca, me pidió que no entrase en las habitaciones cerradas con llave. ¡Otra vez habíamos pasado la noche despiertos!

Mi dormitorio da al patio y desde su ventana solo alcanzo a ver el cielo gris, de modo que he corrido las cortinas y he escrito en mi diario.

8 de mayo.- Escribir este diario me permite anotar todo lo ocurrido de un modo objetivo para no dejarme llevar por la imaginación y poder soportar esta vida nocturna a la que me obliga el conde. Esto es lo que ha sucedido:

Me acosté pero solo conseguí dormir unas pocas horas; una vez despierto, ya no pude volver a conciliar el sueño. Así que me levanté y colgué mi espejo de mano en la ventana con la idea de afeitarme. De repente noté una mano posada en mi espalda, y acto seguido oí la voz del conde dándome los buenos días. ¿Cómo puede ser que no lo oyera entrar, ni le viese reflejado en el espejo? Con el susto, me hice un corte en la mejilla. Volví a mirar al espejo y pude comprobar que no eran imaginaciones mías: ¡no veía su imagen en él!

Cuando el conde vio la sangre en la mejilla, los ojos le brillaron extrañamente y, en un arranque, me agarró

por el cuello. Por casualidad, su mano rozó el crucifijo que siempre llevo puesto y la expresión le cambió por completo, como si no hubiese pasado nada.

—Tenga cuidado al afeitarse y procure no cortarse. En este país, eso puede ser muy peligroso.

Entonces cogió mi espejo, lo arrojó por la ventana y acto seguido abandonó la habitación. «¡Qué raro es este hombre!», pensé mientras almorzaba otra vez solo. Me empezó a parecer también muy extraño que nunca le hubiera visto ni comer ni beber. Después de comer decidí explorar el castillo y fui hasta una estancia orientada al sur. Comprobé que la perspectiva era magnífica desde esta cima solitaria en la que se eleva el castillo. Más tarde, solo encontré puertas y más puertas cerradas con llave. Resumiendo: aparte de las ventanas que se abren al precipicio, no existen salidas. ¡El castillo es una auténtica prisión, y yo soy su prisionero!

Capítulo 3

Diario de Jonathan Harker

8 de mayo.– Al darme cuenta de que estaba atrapado, creí que iba a volverme loco. Intenté sin éxito abrir todas las puertas y ventanas que me encontré al recorrer el castillo. Pero me dije que debía mantener la calma, tener la cabeza despejada y los ojos bien abiertos. Porque si quiero tener una posibilidad de salir de aquí, tengo que ocultar mis temores a Drácula, que es quien me ha tendido esta trampa.

Oí un portazo y supe que el conde había regresado. Como no subía a la biblioteca, fui a mi dormitorio. Allí lo encontré haciéndome la cama. Esto acabó por confirmarme que estábamos solos. También llegué a la conclusión de que él mismo había conducido el coche que me trajo. Esto es terrible porque, ¿cómo interpretar la

capacidad del cochero de controlar a los lobos con solo un gesto? ¿Y por qué los viajeros y la gente del pueblo temían por mí? ¿Y qué significaban los regalos que me hicieron: el crucifijo, los ajos, las rosas silvestres? Menos mal del crucifijo, que me ayudó cuando el conde me agarró por el cuello cuando me corté al afeitarme. Debo estudiar este poder que tiene el crucifijo sobre él. Y si quiero comprender lo qué está ocurriendo, también debo averiguar todo sobre el conde.

Medianoche.– He tenido una larga conversación con el conde Drácula. Me ha contado muchas cosas sobre la historia de Transilvania, de la que es un auténtico experto. Parecía que hubiese participado en todas las batallas que me narraba. De hecho, si no él en persona, sí que muchos familiares suyos habían intervenido en la mayoría de aquellas batallas. Se vanagloriaba del espíritu guerrero de los Drácula: cada vez que sus tropas habían sido derrotadas, los Drácula se reponían y contraatacaban una y otra vez, seguros de que conseguirían al fin la victoria.

De nuevo estuvimos conversando toda la noche. Al alba nos retiramos a dormir.

12 de mayo.– Para no caer en el error de confundir los hechos comprobados con las experiencias vividas, empezaré por relatar los primeros. Anoche, el conde Drácula me pidió que le explicase con detalle cómo se

suelen enviar en Inglaterra mercancías por barco, así como otras cuestiones legales. Según dijo, la razón de haber escogido al señor Peter Hawkins de Exeter para encargarse de sus asuntos en Londres es puramente práctica. De este modo, se asegura de que sus numerosos intereses serán mejor atendidos. Y se refirió a que tenía muchos negocios, algo que no me creí. Aunque fingía ser ignorante, lo cierto es que sus preguntas y comentarios mostraban un conocimiento amplio sobre los temas legales y comerciales de un país en el que nunca ha puesto los pies.

Después, apoyó en mi hombro una mano pesada y me pidió que escribiese a mi jefe para avisarle de que permanecería en el castillo un mes más. ¡Por supuesto, no me atreví a negarme! ¿Cómo podría si soy su prisionero? También escribí a Mina una carta contándole cosas sin importancia por si él la abría. De hecho, me pidió que no mencionara ningún asunto fuera de lo estrictamente profesional. Cuando acabé de redactarlas, cogió mis cartas junto con las que él había escrito y las metió en sobres de un papel muy fino, como el que se usa en la correspondencia para el extranjero. A continuación me dio un consejo:

—Si pasea por este castillo tan lleno de recuerdos, procure no quedarse dormido en ningún lugar fuera de su habitación. ¡Podría resultar muy peligroso y tener pesadillas!

Más tarde.– Me pregunto si hay una pesadilla peor que lo que estoy viviendo despierto. La vida nocturna que me veo obligado a llevar desde que llegué me está destrozando los nervios. Cuando me quedé solo, subí a lo alto del castillo y pude admirar desde allí los alrededores.El paisaje que se divisaba era muy distinto al oscuro patio que alcanzo a ver desde la ventana de mi habitación. No importaba que no pudiera ir a los bosques y montañas que tenía delante, solo con contemplarlos me serené. Cuando me asomé, distinguí la cabeza del conde sobresaliendo algo más abajo de donde yo estaba, por lo que deduje que sería la ventana de su habitación. En principio, no era nada raro. Pero me sobresalté cuando de pronto sacó los hombros por la ventana, los brazos... ¡y salió todo él! Se puso a reptar por el muro lo mismo que lo haría un lagarto, cabeza abajo. La capa que llevaba se agitaba como si se desplegaran unas grandes alas. Quise creer que se trataba de un efecto óptico causado por la luz de la luna. Pero no lo era. Después de ver cómo los dedos de sus manos y de sus pies se sujetaban a las junturas de las piedras, comprendí que no podía serlo.

Tengo miedo, tanto que no me atrevo a pensar en la clase de hombre que es este...

15 de mayo.– He vuelto a ver al monstruo descender por el muro y desaparecer por una abertura. Desde donde estoy, me falta perspectiva y no he podido descubrir nada más. Más tarde, he vuelto a explorar la mansión iluminándome con una lámpara. Al principio solo he podido

acceder a un par de habitaciones pequeñas, llenas de muebles destartalados y polvorientos, pero luego me ha acompañado la suerte. En lo alto de una escalera de caracol, una puerta ha cedido y he podido entrar en una habitación orientada a mediodía y a poniente. Por ambos lados se abre un precipicio inmenso; así pues, el castillo está construido bordeando un promontorio tan alto que no puede alcanzarlo ni las flechas ni las piedras arrojadas con honda. En una palabra: es inexpugnable. Entre el castillo y la barrera de montañas se extiende un verde valle. Esta habitación tiene unas comodidades que no he encontrado en el resto del castillo, como esta pequeña mesa de roble en la que estoy escribiendo en mi diario.

Más tarde: 16 de mayo por la mañana.–Que Dios me ayude a no volverme loco. Regreso al diario con la esperanza de que anotarlo todo con detalle me ayude a calmarme.

De todos los horrores de esta casa, el conde no es el peor. Anoche lo desobedecí a propósito. Me senté en un sofá, a la luz de la luna, y supongo que me dormí pensando en las antiguas damas que mi imaginación había situado en el castillo. Todo fue tan real que ahora me resulta imposible creer que haya sido un sueño.

Frente a mí aparecieron tres mujeres jóvenes, bañadas por la pálida luz de la luna. Curiosamente, no proyectaban ninguna sombra. Se acercaron para mirarme y se pusieron a cuchichear entre ellas. Dos eran morenas, con una nariz aguileña y unos ojos de una tonalidad rojiza; la tercera tenía el pelo rubio y ensortijado, y los ojos claros. Me recordaban a alguien, aunque no sepa decir a quién.

Estaba muy espantado, aunque al mismo tiempo sentía unas ganas locas de que me besaran con aquellos labios tan rojos, como lo eran sus ojos en contraste con la luz de la luna. No debería escribirlo por si algún día Mina leyera mi diario, pero es la verdad. Una de las morenas le dijo a la rubia:

—Empieza tú; tienes derecho a ser la primera.

—Es joven y fuerte; podrá besarnos a todas sin problemas —dijo la otra.

Se pusieron a murmurar y a reír hasta que la rubia se acercó a mí, seductora como un felino. Por un lado

me resultaba atractiva, pero al mismo tiempo me causaba rechazo. Se arrodilló y se inclinó sobre mí. Yo estaba a la expectativa, angustiado. Vi cómo se acercaban hacia mi sus labios entreabiertos, por los que se asomaban unos colmillos brillantes. Primero, sentí su aliento en mi cuello, y después, la suave caricia de sus labios y el contacto duro de los dientes.

Justo entonces apareció el conde. Hecho una fiera, agarró por su delicado cuello a la joven y la apartó de mí. A Drácula los ojos le centelleaban de rabia, como si en su interior ardiesen las llamas del infierno. Con un movimiento rápido, arrojó a la joven junto a las otras. Acto seguido, las hizo retroceder a las tres del mismo modo que había hecho con los lobos, con un gesto autoritario. Ellas rieron tristemente.

—Nunca has amado a nadie —le recriminó la mujer rubia.

—Sí que puedo amar; lo sabéis por experiencia. No os atreváis a tocar a este hombre; es mío. Cuando haya terminado con él, podréis besarlo tanto como gustéis. ¡Ahora, marchad, que estoy muy ocupado!

—¿No vas a darnos nada esta noche? —preguntó una de ellas.

En ese instante, el conde les lanzó un saco del que brotaba un gemido apagado, como el de un niño que estuviera ahogándose.

Cuando abrí los ojos, me encontraba de nuevo solo.

Capítulo 4

Diario de Jonathan Harker

18 de mayo.- Al día siguiente me desperté en mi cama. Si no lo he soñado, fue el conde quien me llevó aquí y me acostó. Había pruebas que dejaban claro que algo raro había pasado: mi ropa no estaba donde yo suelo dejarla, nadie había dado cuerda al reloj como tengo por costumbre hacer, y otros pequeños detalles. Quise regresar a la habitación en la que había estado para investigar, pero encontré la puerta cerrada.

19 de mayo.- Ayer, el conde Drácula me pidió que escribiera tres cartas. La primera, diciendo que me marcharía dentro de unos días. La segunda, que mi trabajo aquí había concluido y que partía al día siguiente por la mañana. Y la tercera —con fecha del 29 de junio—, que

ya estaba camino de casa. Como estoy en sus manos, le obedecí para no enfurecerlo. ¿Qué otra salida me queda? Tras verle en acción con las tres mujeres, no me cabe la menor duda de que si me enfrento a él abiertamente estoy perdido. Soy un peligro para él porque sé demasiadas cosas, y por eso no he de seguir viviendo. En otras palabras, ahora sé cuánto me queda de vida.

28 de mayo.– Ha llegado al castillo un grupo de gitanos y se me ocurre que quizá esto me brinde una oportunidad de escapar. Podría escribir algunas cartas dirigidas a mis amigos y hacer que los gitanos las enviasen. Primero he conseguido hablar con ellos. Aunque no he sacado nada en claro, he decidido seguir adelante con mi plan.

Ya las he acabado: una carta es para Mina y la otra para mi jefe. Se las he tirado por la ventana, junto a una moneda de oro.

Hace un rato que el conde ha subido, ¡y llevaba con él las cartas! Se ha sentado y las ha abierto. La que iba dirigida al señor Hawkins le ha parecido bien, pero la que estaba dirigida a Mina no le ha gustado nada, porque ha sentido como un ultraje que estuviera en taquigrafía. Alegando con cinismo que no merecía nuestra atención porque además iba sin firmar, la ha quemado con la llama de la lámpara. Ha asegurado que echaría la otra carta al correo y se ha marchado. Cuando ha salido, he oído girar la llave en la cerradura.

Un par de horas más tarde, me he despertado al oír la puerta. Era el conde, que me ha comunicado que esta noche estaba atareado y no vendría a conversar conmigo. Me ha aconsejado muy amable que me acostara. Contra todo pronóstico, he podido dormir de un tirón y sin soñar nada.

31 de mayo.– Acabo de descubrir que todas mis pertenencias han desaparecido: las que podrían serme de utilidad si consiguiera salir del castillo, como la guía de ferrocarriles, la carta de crédito..., y las demás: la maleta, la ropa, el abrigo... ¿Qué estará tramando?

17 de junio.– Esta mañana han llegado unos campesinos conduciendo dos carros arrastrados cada uno por ocho vigorosos caballos. Los hombres vestían sucias pieles de cordero y altas botas, y se cubrían con un sombrero ancho. Como estoy encerrado con llave, les he llamado desde la ventana. El jefe de los gitanos les ha dicho algo que no he logrado entender; los campesinos se han reído de mí y no me han hecho el menor caso. Han descargado unas grandes cajas de madera vacías, han cobrado y se han ido haciendo restallar sus látigos.

24 de junio, al amanecer.– Los gitanos han acampado en el castillo y trabajan con picos y palas. ¿Qué estarán haciendo? Esta noche el conde ha salido por la ventana, vestido con mi ropa. Lo he visto desde la ventana que

hay al final de la escalera de caracol. Llevaba ese horrible saco que lanzó a las tres mujeres la otra noche. ¡Es evidente lo que ha ido a buscar! Y también que pretende hacerse pasar por mí para que me culpen de sus crímenes.

Con la idea de vigilar los movimientos del conde, permanecí apostado junto a la ventana. Al rato, me sorprendieron unas partículas de polvo que comenzaron a girar adquiriendo formas diferentes y que actuaban sobre mí como un sedante. De hecho, me sentí hipnotizado. Cuando comenzaron a tomar la forma de las tres damas sedientas, me incorporé gritando y salí huyendo hasta mi habitación. Temblando por la tensión vivida, me senté a llorar.

De repente, oí los gritos que profería una mujer en el patio. Me asomé a la ventana y cuando me vio, la mujer se dirigió hacia mí, entre suplicante y amenazadora, con voz desgarrada:

—¡Monstruo! ¡Devuélveme a mi hijo!

Desde lo alto del castillo, el conde se puso a susurrar lo que parecía una llamada. A lo lejos, respondieron los aullidos de los lobos, que poco tiempo después acudieron en manada al patio. Dejaron de escucharse entonces los gritos de la mujer. Luego, vi a los lobos que se alejaban lamiéndose el hocico.

¿Cómo escapar de esta esclavitud, de este temor? ¿Cómo escapar de la noche?

25 de junio.– Con la llegada de los primeros rayos de sol empecé a perder el miedo. Mi estado de ánimo ha mejorado. Ayer salió la primera de las cartas que escribí con fecha adelantada. He de actuar deprisa y sin vacilar. ¿Qué hace el conde durante el día? Nunca le he visto a la luz del sol. Si por lo menos pudiese entrar en su habitación...

Más tarde.– ¡Lo he conseguido! Anduve descalzo por la cornisa, sin mirar abajo para no sentir vértigo. Sabía en qué dirección se encuentra la habitación del conde y a qué distancia. Por suerte, no estaba dentro. Solo he encontrado un montón de monedas de oro antiguas de distintas procedencias. Al otro lado de una puerta, al fondo de la estancia, había un pasillo de piedra oscuro como boca de lobo. Bajando una escalera muy empinada, he llegado hasta una vieja capilla en ruinas. Se trataba de un antiguo cementerio. La tierra había sido removida recientemente para llenar con ella los cajones de madera que había allí y que con total seguridad son los que habían acarreado los campesinos. He bajado a las criptas, iluminadas por una leve claridad, y he encontrado féretros viejos dispersos entre el polvo. He contado hasta cincuenta, ¡y en uno de ellos, sobre la tierra recién extraída, estaba el conde!

No puedo decir si estaba vivo o muerto, allí echado con los ojos abiertos, como petrificado. No mostraba ni un indicio de vida; no tenía pulso ni aliento, ni el

corazón le latía, nada. La ventaja es que no se movía. Así que he intentado registrarle en busca de las llaves del castillo. Pero cuando me he inclinado sobre él, he visto tanto odio en sus ojos que he salido huyendo por la ventana. He trepado hasta entrar en mi dormitorio y, tumbado en la cama, he tratado de pensar con serenidad en todo lo que he visto.

29 de junio.- Mi última carta tiene fecha de hoy. He visto que el conde Drácula bajaba de nuevo como un lagarto vestido con mi ropa. Por temor a las tres mujeres, no le he espiado y me he quedado dormido en la biblioteca.

Allí me ha encontrado el conde. Me ha despertado para anunciarme que mañana nos separaremos porque tiene un asunto que resolver con los gitanos, y una vez que su calesa esté libre, el cochero vendrá a buscarme y me llevará a la diligencia. Pero ¿de qué cochero hablaba si no tiene?

He querido ponerle a prueba preguntándole de repente por qué no podía partir esa misma noche. A su objeción de que no disponía del coche, le he contestado que podía irme andando; cuando ha objetado que no podría con mi equipaje, le he repuesto que podía mandarlo a buscar más tarde. Simulando acceder, ha cogido una lámpara y me ha conducido hasta la puerta de entrada. Ha empezado a abrirla después de descorrer los cerrojos, ¡lo que ha hecho sin utilizar llave alguna!

—¿Oye? —ha preguntado deteniéndose repentinamente.

He oído a una manada de lobos aullar a coro. A medida que la puerta se abría, los aullidos sonaban más cerca y más amenazadores. Este era su argumento, he pensado, y también que con tales aliados nada podía hacer yo. Así que he aceptado mi fracaso, desistiendo del intento de adelantar mi partida.

De vuelta en mi dormitorio, cuando estaba a punto de conciliar el sueño, he oído que el conde decía:

—¡Atrás, atrás. Todavía no. Mañana por la noche será vuestro!

He abierto la puerta y las he visto a las tres, pasándose la lengua por los labios. Al darse cuenta de mi presencia, han huido riéndose como locas.

30 de junio, por la mañana.– ¿Serán estas las últimas palabras que escriba en mi diario? Tan pronto como me he despertado, contento de ver que amanecía y que por tanto me hallaba fuera de peligro, he corrido hacia la puerta del castillo confiando en que iba a poder salir. ¡Pero el conde me ha dejado encerrado! He vuelto a su habitación reptando por el muro exterior. Tal y como esperaba, no estaba en ella. Ni las llaves tampoco, solo el montón de oro. Pero ya sabía dónde encontrar al monstruo. He bajado a la cripta por la escalera de caracol. Y allí estaba, en el ataúd, ¡pero había rejuvenecido! Sin duda, gracias a la sangre que le manchaba los labios

y le goteaba por la barbilla y el cuello. ¡Pensar que le he ayudado a ir a Londres! Sentí que tenía un solemne deber que cumplir. Deseoso de librar al mundo de semejante monstruo, he cogido una pala empleada por los zíngaros y con ella le he asestado un golpe que le ha abierto un corte en la frente. En ese momento, los gitanos han entrado en el castillo y he tenido que volver a mi habitación.

Mientras escribo, oigo pasos, objetos arrastrados y martillazos; seguramente están clavando las cajas. Al rato, he oído el ruido de cerrojos que se cierran y girar de llaves, y luego el traqueteo de los carros y voces que se alejan. ¡Me he quedado encerrado en compañía de las tres horribles mujeres! He de escapar como sea. Cogeré unas monedas y bajaré por el muro hasta donde pueda, y no importa que me despeñe. Es preferible la muerte a seguir aquí encerrado. ¡Adiós, Mina!

Capítulo 5

Carta de Mina Murray
a la señorita Lucy Westenra

9 de mayo

Querida Lucy:

Me encantará pasar unos días contigo a la orilla del mar y ponernos al día de todos nuestros proyectos. Ahora me dedico a estudiar taquigrafía para cartearme con Jonathan y ayudarle en su trabajo. Él lo practica en el diario que escribe en sus viajes. Hace unos días recibí una carta suya desde Transilvania; dice que muy pronto volverá. ¡Por fin! Tengo muchísimas ganas de verlo y que me cuente lo que ha hecho. Gracias por invitarme, querida Lucy. ¡La vida de una maestra de escuela es muy dura! Estoy pensando en escribir un diario en el que apuntarlo todo, como hacen los periodistas. Por cierto, ¿es verdad lo que he oído acerca de un hombre alto y guapo...?

Mina

Carta de Lucy Westenra a Mina Murray

Chatham Street, 17
Miércoles

Querida Mina:

Por aquí, pocas novedades. Paseo por el parque, monto a caballo, voy a exposiciones. Lo del hombre alto, supongo que te refieres al señor Holmwood. Hemos ido juntos a un concierto. Eso es todo.

Hace poco que conocí a un hombre que sería un buen partido para ti, si no estuvieras ya prometida. Es un médico muy inteligente y decidido. Fíjate si lo será que con solo 29 años ya dirige un manicomio. Se llama John Sewad, y afirma que soy un curioso caso psicológico. Quizá lo diga porque la ropa nunca me ha interesado. Qué quieres, es un rollo; ya sé que es una expresión vulgar, pero Arthur lo dice continuamente. En fin, Mina, no sé qué más puedo contarte. Bueno, sí. ¿Te acuerdas cuando de niñas nos lo contábamos todo? ¡Cuántas cosas hemos compartido! Y ahora... ¡Oh, Mina, estoy enamorada! ¿No lo habías adivinado? Le quiero. Diría que él también me quiere, pero todavía no me lo ha dicho. ¡Cómo me gustaría que estuvieses ya aquí y me dijeses lo que piensas de todo esto, como hacíamos de pequeñas!

Lucy

Carta de Lucy Westenra a Mina Murray

24 de mayo

Querida Mina:

Qué maravilloso es poderme sincerar contigo y que me comprendas. A punto de cumplir veinte años y en el mismo día me hacen tres proposiciones de matrimonio. ¿Qué te parece? No se lo cuentes a nadie, aparte de a Jonathan, naturalmente. Entre la pareja no deben existir secretos. A lo que iba. Del primero ya te he hablado. Se trata de John Sewald, el director del manicomio. Aparentaba frialdad, pero sus continuas torpezas le delataban. Cuando al fin se decidió a declararse, fue directo al grano. Me conmovió tanto que me eché a llorar. Al verme así, se disculpó por su falta de tacto. Me preguntó si podría yo quererle con el tiempo, y cuando negué con la cabeza vaciló y casi temblando me preguntó si quería a otro. Se excusó por preguntarlo porque quería saber si podía tener esperanza. ¿No crees que hice bien al decirle que había otro hombre? Se levantó y, cogiéndome las manos me deseó la mayor de las felicidades y me ofreció su amistad. ¡Oh, Mina! Es muy bonito que se le declaren a una, pero también es terrible cuando ves que alguien que te ama sinceramente se va con el corazón destrozado. Aunque sea feliz, me siento desgraciada.

Por la tarde

Arthur acaba de irse y voy a contarte lo ocurrido con el número dos. Es un joven americano muy simpático. Le gusta contar las aventuras que ha vivido en sus numerosos viajes alrededor del mundo. Lo hace con mucha gracia, y desde que se dio cuenta de que me divertía, no para de hablar en *slang*. Alguien así, tan decidido, es de los que transmiten confianza, de los que una espera que te salve de tus miedos. Pero vayamos por partes. Yo estaba sola cuando Quincey Morris se presentó después de la hora de comer. Estaba contento, pero muy nervioso. Se sentó a mi lado, me cogió de la mano y me hizo una declaración de amor con tanta gracia que, la verdad, rechazarle no me costó ni la mitad que con el doctor. En cambio, él se puso serio para dirigirme todo tipo de galanterías. ¿No es cierto que alguien puede tomarse las cosas en serio aunque resulte divertido? Te soy sincera, me sentía tan apenada que me enfurecí porque una no pueda casarse con tres hombres a la vez.

Lucy

P.D.: Del número tres no necesito decirte nada, ¿verdad? Además, apenas recuerdo lo que sucedió desde que entró en la habitación hasta que me besó. Lo único que puedo decirte es que soy muy feliz. Adiós.

Diario del Dr. Seward (grabado en fonógrafo)

25 de abril.- Me siento vacío desde ayer, sin apetito, falto de ánimo a causa de lo ocurrido con Lucy. No veo otra salida que dedicarme al trabajo como terapia. He elegido un paciente poco corriente para estudiarlo a fondo. Se llama R. M. Renfield, de 59 años. Hombre fuerte y de temperamento sanguíneo, se excita con facilidad, lo que le convierte en alguien potencialmente peligroso. Sufre periodos de depresión de los que surge con alguna idea fija imprevisible.

Carta de Quincey Morris a Arthur Holmwood

25 de mayo

Mi querido Art:

Hemos compartido muchos buenos momentos y ahora tenemos algo de qué hablar. ¿Podrás venir mañana por la noche a mi campamento? También vendrá un viejo camarada, Jack Seward. Queremos que nuestras lágrimas se mezclen en una copa con la que brindar por ti, el hombre más afortunado del mundo, y tu noviazgo.

Tu eterno amigo, Quincey

Teegrama de Arthur Holmwood a Quincey Morris

Contad conmigo.

Art

Capítulo 6

Diario de Mina Murray

Whitby, 24 de julio.- Lucy me esperaba en la estación más guapa que nunca. Desde su casa se contempla un profundo valle y el pueblo, en cuya parte vieja se amontonan las casas con sus tejados rojos. Encima del pueblo se alza la abadía, unas nobles ruinas muy románticas. Sobre ella existe la leyenda de que puede verse a una dama vestida de blanco en una de las ventanas. Entre la abadía y el pueblo, se extiende el viejo cementerio. Este ocupa un promontorio desde el que se domina el puerto y la bahía. A su lado está la iglesia parroquial. El promontorio desciende tan bruscamente que algunas tumbas se han derrumbado y sus losas sobresalen en el aire. En el cementerio hay paseos con bancos. A mí me gusta sentarme en uno de ellos y, como hago ahora, escribir disfrutando de la brisa mientras contemplo el maravilloso panorama.

Justo debajo de mí está el puerto, al que se accede por una estrecha abertura; cuando la marea está baja es precioso. Según una leyenda que he oído contar, cada vez que un barco naufraga se oyen campanas. Me digo de preguntarle al anciano que viene por el paseo qué sabe de eso...

El hombre, muy simpático, se ha mostrado escéptico:

—Son tonterías. Están bien para entretener a los visitantes y a gente así.

Hemos estado hablando hasta que las campanas han tocado las seis y se ha ido cojeando entre las numerosas tumbas.

1 de agosto.- Con Lucy en el promontorio. Ella lucía un vestido de lino blanco, eso y el buen color de su cara ha atraído a los ancianos a nuestro banco. He vuelto a sacar el tema de las leyendas y mi anciano amigo ha soltado un sermón:

—Tonterías. Las historias sobre apariciones, maldiciones, espíritus y fantasmas solo sirven para espantar a los niños y a los crédulos. Mire a su alrededor, lea lo que está inscrito en las lápidas: «Aquí yace fulanito», «A la memoria de...». Mentiras; la mitad están vacías, porque ¿usted cree que el cuerpo de ese de allá, «asesinado por los piratas frente a la costa de Andres», fue

rescatado del mar y traído hasta aquí? ¿Y quién recuerda a ese otro que se ahogó en 1777?

Como la vez anterior, al sonar las seis campanadas se ha marchado renqueando. Una vez solas, Lucy me ha hablado de Arthur y sus planes de boda. Me he quedado triste pensando en que hace días que no recibo noticias de Jonathan.

Diario del Dr. Seward

19 de julio.- El caso Renfield se vuelve cada vez más interesante. Diría que se ha trazado un plan, pero ignoro cuál. Una de sus características es su afición por los bichos raros. Primero fueron las moscas; tenía tantas que tuve que amonestarle. Me pidió unos días para deshacerse de todas ellas. Y lo cumplió; pocos días más tarde el número de moscas disminuyó, pero porque las utilizaba para alimentar a las arañas, que habían pasado a centrar su interés. Transcurridas dos semanas, las arañas se convirtieron en un engorro y le dije que no las podía tener. Lo vi tan apenado que le permití quedarse con algunas, y eso le animó. En esa ocasión, ocurrió algo que me repugnó: mientras estaba con él, atrapó a un moscardón y se lo comió. Cuando le reprendí por ello, se excusó diciendo que él ganaba vida comiendo otras vidas. Me propuse vigilarle, averiguar cómo se deshacía de las arañas.

Estuve unos días sin visitarle para ver si se producía algún cambio en él. Pero seguía como antes, solo que entonces tenía otro animal preferido: un gorrión. Lo había domesticado alimentándolo a base de arañas. No obstante, continuaba cazando moscas con las que alimentar a las arañas que necesitaba para dar de comer al gorrión.

Ahora tiene una colonia de gorriones. Cuando he entrado ha venido hacia mí, muy zalamero, diciendo que quería pedirme un favor:

—Un gatito, un gatito con el que pueda jugar y al que alimentar... y alimentar.

Le he dicho que me lo pensaría, y él me ha dirigido una mirada feroz.

20 de julio.- Cuando he visitado a Renfield temprano, estaba esparciendo azúcar por la ventana para capturar moscas, otra vez. Me ha extrañado no ver gorriones y le he preguntado por ellos. Me ha dicho que se habían escapado volando. Al observar plumas en el suelo y una gota de sangre en su almohada, le he pedido al celador que me informara si ocurría algo fuera de lo normal. Un par de horas más tarde, el celador me ha dicho que Renfield había vomitado un montón de plumas. ¡Se había comido a los gorriones crudos!

11 de la noche.- He sedado a Renfield y le he echado una ojeada al cuaderno en el que lleva su extraña

contabilidad de altas y bajas de animales. Ahora tengo pocas dudas de lo que es: un maníaco homicida zoófago (devorador de vida). Si fuese capaz de descubrir el secreto que encierra la cabeza de un lunático, sería reconocido por ser un gran innovador en el estudio psicológico. ¡Y pensar que hace apenas unas semanas me sentía completamente acabado! ¡Ah, Lucy, no puedo enfadarme con mi querido amigo Arthur Holmwood, al que haces feliz! Ahora solo me queda trabajar, seguir trabajando duro.

DIARIO DE MINA MURRAY

26 de julio.–Al escribir en el diario mis pensamientos es como si me hiciese confidencias. Además, hacerlo en taquigrafía me acerca a Jonathan. ¡Ay, Jonathan! El señor Hawkins me ha enviado una carta que ha recibido de Jonathan. Son unas pocas líneas para decir que está de regreso. También Lucy me preocupa: ha vuelto a andar sonámbula. Su madre está intranquila porque le pueda ocurrir algún accidente. Si se despierta mientras anda por un tejado, por ejemplo, podría precipitarse al vacío. Por otro lado, Lucy está ocupada con los preparativos de su boda; comprendo su nerviosismo porque Jonathan y yo también hacemos planes, solo que nosotros habremos de arreglarnos con muy poco al principio.

27 de julio.– Sin noticias de Jonathan. Me contentaría con recibir unas líneas. ¿Estará enfermo? Si el señor Hawkins no me dice nada, doy por seguro que no, que se encuentra bien. En cuanto a Lucy, pasea todas las noches y me despierta. Como hace calor, no hay temor de que se resfríe, pero yo empiezo a sentirme agotada y muy tensa. Por suerte, Lucy ha recobrado el color sonrojado de sus mejillas; gracias a Dios que le ha desaparecido el aspecto pálido que tenía.

3 de agosto.– Al releer la última carta de Jonathan, hay algo que no acabo de ver claro. Es como si no fuese de él; pero la letra es la suya, sin duda. Estos días, Lucy parece que me vigila, incluso en sueños. Se desplaza por la habitación en busca de la llave de la puerta que cierro cada noche, de acuerdo con su madre.

6 de agosto.– Dos cosas me tienen preocupada. Por un lado, no tener noticias de Jonathan. Por el otro, Lucy lleva unos días muy excitada. Espero ser capaz de mantener la calma. Los marineros anunciaron tormenta para hoy. Ciertamente, el día es gris; en realidad todo es gris: las nubes, las piedras, el mar. Excepto la hierba verde. La bruma marina, gris, avanza hacia tierra y el horizonte se desdibuja en la niebla gris. Envueltos en la niebla, unas figuras oscuras caminan por la playa mientras las barcas de pesca son zarandeadas por las olas entre montañas de espuma. Veo venir a mi anciano por el paseo. Por cómo se quita el sombrero, intuyo que viene con ganas de charlar...

—Siento haber parecido antipático a veces, pero es que a los viejos que ya nos queda poco tiempo de vida, no nos gusta pensar en morir. Por eso hablamos de la muerte con ligereza, con el fin de no perder el ánimo. Algún día la trompeta del Ángel de la Muerte sonará en mi honor. La muerte es lo único seguro que tenemos. Yo soy ya lo suficientemente viejo para esperarla. A fin de cuentas, vivimos con la esperanza de que nuestra vida sea distinta de la que llevamos. ¡No llore, jovencita! Seguiría a la muerte si ahora me llamase. Puede incluso que se presente mientras estamos aquí hablando. ¿No siente cómo este viento marino trae el olor de la muerte? Noto que se acerca... Y no me sabe mal. ¡Oiga cómo viene por el aire!

Ha movido los labios como si rezara, y tras mantener un largo silencio se ha despedido y se ha ido. Luego, el vigilante de la costa se ha acercado y ha mirado por su catalejo un barco que no ha podido identificar. Navegaba de una manera que le ha extrañado y ha pronosticado que muy pronto oiríamos hablar de aquella nave.

Capítulo 7

Diario de Mina Murray

8 de agosto.– No recordaba una tormenta similar a la de anoche. Los truenos resonaban con estruendo en la chimenea y las ráfagas semejaban cañonazos. Lucy ha pasado la noche muy inquieta y se ha levantado un par de veces; por suerte, me he despertado a tiempo de volver a acostarla en ambas ocasiones. Es extraño, si algo físico se le opone cuando anda sola, vuelve a su rutina diaria automáticamente. Por la mañana, Lucy y yo nos hemos levantado temprano y hemos ido rápidamente al puerto para ver si la tormenta había causado daños durante la noche. Pego aquí este recorte del *The Dailygraph*:

«*Corresponsal en Whitby.* Hemos sufrido un repentino temporal, de los más violentos que se recuerdan por aquí.

Anteayer por la tarde, mucha gente se reunió en el puerto para contemplar una maravillosa puesta de sol. Las numerosas nubes se colorearon con todos los tonos del ocaso: desde el púrpura, pasando por el rosa y el verde, hasta los matices del oro. Unas masas de tamaño no muy grande, pero totalmente negras, se recortaban imponentes junto a las siluetas de los acantilados, negros también. Pero la aparición de cirros por el noroeste llamó la atención de un viejo pescador, que avisó al vigilante de la costa de que muy pronto se desataría un fuerte temporal. Alertados por el peligro, regresaron los barcos a cobijarse en el puerto. Poco tiempo después, la única nave que quedaba en el mar era una goleta extranjera. Lo que extrañó a la gente era que llevase las velas desplegadas, una temeridad teniendo en cuenta la proximidad de la tormenta.

»Momentos antes de las diez, el aire se paralizó. Sobrevino un silencio tan completo que la música que tocaba la banda desentonaba. Pero a las doce, un extraño rumor sonó en el mar, y en el cielo empezaron a oírse truenos lejanos. Y con una rapidez increíble, estalló la tempestad con tanta violencia que la naturaleza parecía haber experimentado una sacudida. El mar se agitó, las olas batían contra los espigones y la arena de las playas, llevando su espuma hasta lo alto de los faros. El viento rugía y sus rachas eran tan fuertes que hubo que desalojar los muelles para evitar desgracias personales. A todo ello se sumó la niebla. Blanca, fría y pegajosa, se desplazaba como un fantasma: era fácil imaginar que

eran los espíritus de los ahogados que acudían a tocar a los vivos con las manos frías y húmedas de la muerte.

»De vez en cuando, la niebla se abría y podía verse alguna escena que revelaba la dimensión de la tormenta: las montañas de agua elevándose hasta deshacerse en espuma que el viento huracanado dispersaba. Era lo más parecido al fin del mundo, según clamaban algunos. Los mismos que, gracias a que el banco de niebla se deshacía, observaron momentos más tarde atónitos la goleta que se dirigía hacia el puerto con las velas desplegadas. A continuación, vino otro banco de niebla mayor que el anterior, acompañado por el fragor de la tormenta, el retumbar de las olas y el estallido de los truenos. De pronto, el viento cambió de dirección y con él la niebla se disipó por completo. La goleta entró directa en el puerto con las velas desplegadas y sin daños aparentes. Amarrado a la rueda del timón, sin embargo había un cadáver al que el movimiento del barco sacudía de un lado a otro. Nadie más se divisaba en la cubierta. La gente se estremeció al pensar que era un auténtico milagro que la goleta navegase gobernada por un muerto y que hubiese encontrado el camino al puerto.

»Pero el velero no se detuvo, sino que cruzó el puerto y fue a chocar contra un banco de arena. Lo más extraño fue que entonces un enorme perro saltó a tierra y salió corriendo en dirección al cementerio.

»Las autoridades ya habían subido a bordo cuando este corresponsal y otras personas llegaron junto a la

goleta. Solo me dejaron subir a mí, por ser periodista. Tuve el dudoso privilegio de ser uno de los pocos que vio al marinero muerto amarrado al timón. El cadáver tenía las manos atadas a la rueda, y entre las manos sostenía un crucifijo y un rosario. En uno de los bolsillos encontraron el diario de a bordo y, enrollado dentro de una botella, una nota. El médico que lo reconoció ha llegado a la conclusión de que llevaba muerto un par de días.

»El temporal ya está amainando y la gente regresa a sus casas. En siguientes ediciones daremos más detalles de lo sucedido.»

9 de agosto.- Según las noticias de *The Dailygraph*, la goleta es rusa y transportaba un pequeño cargamento de cajas de madera llenas de tierra. La rara carga estaba destinada a un abogado del pueblo, que ya ha ido a recogerla. Todo el mundo busca al perro que saltó del barco. Incluso la Sociedad Protectora de Animales ha tomado cartas en el asunto. Pero siguen sin encontrarlo. En cambio, ha aparecido muerto a primera hora un perro mastín propiedad de un vecino del pueblo. Tenía el cuello partido y el vientre desgarrado.

El contenido del diario de a bordo no ha revelado nada que pudiera dar pistas sobre lo sucedido, salvo la desaparición de la tripulación. En cambio, la nota de la botella es más interesante, como puede leerse en el artículo del periódico que intentaré resumir a continuación.

Las anotaciones empiezan el 18 de julio. La nave había zarpado el 6 de julio de Varna con la carga, cinco marineros y un cocinero. El 13 de julio, el capitán empezó a notar nerviosismo entre la tripulación. Al día siguiente, estaban más inquietos, pero lo único que dijeron era que había algo a bordo y se santiguaban. El 16 de julio, el segundo le informó al capitán de la desaparición de un marinero. Había ocurrido después de la guardia de noche, y la tripulación estaba abatida. El 17, uno de los hombres le confesó al capitán que había visto de noche en la cubierta a un hombre alto y delgado, que fue a proa y luego desapareció. El capitán, para tranquilizar al marinero espantado y al resto de los hombres, decidió registrar todos los rincones del barco. El registro no dio resultado: a bordo no había ningún polizón. Siguieron unos días de mal tiempo en los que no sucedió nada anormal. El temporal obligó a la tripulación a ocuparse día y noche de las velas, y cuando por fin el viento amainó, todo el mundo estaba agotado. Hasta que el día 29 de julio ocurrió otra desgracia: el hombre que ocupaba la primera guardia desapareció sin dejar rastro. A partir de ese día, el capitán y el segundo acordaron ir armados por precaución. El 30 de julio, cuando ya se avistaba la costa de Inglaterra, desaparecieron el hombre de guardia y el timonel. Con solo dos marineros, aparte del segundo y el capitán, resultaba imposible gobernar la nave. Esperaban poder pedir ayuda, pero una espesa niebla les impidió divisar tierra

y no se cruzaron con ninguna otra nave, o no pudieron verla. Navegaban a merced del viento, con las velas desplegadas, porque si las arriaban no podrían izarlas otra vez. El 2 de agosto desapareció el penúltimo hombre tras haber lanzado un grito de terror. Aunque el segundo salió corriendo en cuanto lo oyó, no logró ver nada. El 3 de agosto desapareció el último hombre. Antes de bajar por la escotilla de proa armado de herramientas, anduvo como loco gritando que lo había visto y que lo iba a encontrar. Las desgracias para el capitán no acabaron aquí. Ese mismo día, el segundo dio un alarido y, pidiendo al capitán que lo salvara, cruzó el barco corriendo y saltó por la borda. El capitán creyó entonces que el culpable de las desapariciones había sido el segundo, que había enloquecido. El 4 de agosto, el capitán se propuso seguir en el barco hasta el final para conservar su honor como marino; para salvar su alma, se ató al timón y colocó un crucifijo entre sus manos, para sentirse a salvo de cualquier demonio. No hay duda de que murió como un héroe. Prácticamente todo el mundo quiere que se le hagan funerales públicos y que se le entierre en el cementerio del acantilado.

10 *de agosto.*- Hoy se ha celebrado el funeral por el pobre capitán. Ha sido muy emotivo. Lucy, muy afectada, y yo hemos ido a sentarnos en nuestro banco. Desde allí hemos visto la procesión, y Lucy se ha pasado todo el tiempo en un intenso estado de nervios. No quiere

admitir que su nerviosismo tenga alguna causa concreta. Seguro que también le ha afectado la noticia de que el anciano con el que habíamos intimado ha muerto en ese mismo banco. Lo han encontrado esta mañana, con el cuello roto y una expresión de terror en la cara. Supongo que ha caído y ha visto a la muerte de frente. ¡Pobrecillo! Y pobre de mí, que sigo sin tener noticias de Jonathan.

Capítulo 8

Diario de Mina Murray

11 de agosto, a las tres de la madrugada.- Escribo porque no puedo dormir de lo nerviosa que estoy después de lo que acaba de pasar. Esta noche me he despertado de repente y me he espantado cuando he visto que la cama de Lucy estaba vacía. La puerta estaba cerrada pero no con llave, como la había dejado antes de acostarnos. No he querido despertar a su madre, que está muy delicada del corazón. He pensado que Lucy no podía haber ido muy lejos porque su bata y su vestido estaban colgados en la percha. Me he puesto un chal encima del camisón y he corrido escaleras abajo.

No la he encontrado en el vestíbulo ni en ninguna de las habitaciones. En cambio, la puerta de entrada no tenía corrido el pestillo. Temiéndome lo peor, me he

precipitado fuera de la casa. El reloj daba la una en el momento que enfilaba la escalinata que llevaba al cementerio viejo, pues algo me decía que encontraría a Lucy sentada en nuestro banco favorito. Lucía una espléndida luna llena, pero espesas nubes negras proyectaban intermitentemente unas oscuras sombras que me impedían ver nada. Las nubes han pasado y, desde la lejanía, he comprobado que mi intuición no me engañaba. Allí, en el banco, se encontraba mi amiga. Pero no estaba sola. Me ha parecido distinguir una silueta negra detrás de ella. He atravesado el pueblo desierto a todo correr; el tiempo que tardaba en subir la escalinata que lleva al promontorio se me ha hecho interminable. Cuando estaba lo bastante cerca, he comprobado que sí, que una sombra alta y negra se inclinaba sobre la figura blanca de mi amiga. He lanzado un grito de alarma y la silueta se ha erguido; entonces, he podido ver unos ojos encendidos en medio de una cara pálida. Pero al llegar al banco ya solo estaba Lucy, y ni rastro de nadie más.

Mi amiga dormía con respiración agitada, como si le faltase el aire. Se ha estremecido ligeramente; creyendo que tenía frío, le he puesto mi chal, cuyas puntas he sujetado con un imperdible. He debido de hacerle daño porque ha gemido y se ha llevado la mano al cuello. He empezado a despertarla, primero con delicadeza y luego, viendo que se hacía tarde, con más energía. Una vez que ha vuelto en sí, me ha obedecido dócilmente. Por suerte, en el camino de regreso a casa no nos hemos tropezado con nadie. Después de ayudarla a acostarse, Lucy me ha pedido que no contase a nadie aquella aventura nocturna. Se lo he prometido, pero ¿es lo que debo hacer?, ¿he obrado bien? La luz del amanecer ya se refleja en el mar.

El mismo día, al mediodía.– He pedido perdón a mi amiga por haberle pinchado en el cuello con el imperdible. Ella se ha echado a reír y le ha quitado importancia. Tiene dos puntitos rojos que no van a dejar cicatriz, porque son muy pequeños.

El mismo día, por la noche.– Lucy y yo hemos pasado una feliz tarde en el bosque. Lástima que no estuviese Jonathan con nosotras. Lucy parece que está más tranquila y se ha dormido enseguida. Espero que esta noche no ocurra nada.

13 de agosto.– Después de un día completo en calma y de que la jornada de hoy haya transcurrido con tranquilidad, por la noche Lucy ha vuelto a despertarme. Dormida, señalaba hacia la ventana. Sin decir nada, he subido la persiana y me he asomado. La luna brillaba sobre el mar; el misterioso silencio que reinaba transmitía paz. De repente, he visto a un murciélago enorme que volaba en círculos. Al verme, se ha medio espantado y ha huido. Lucy ha vuelto a acostarse como si nada y ya no se ha movido más.

14 de agosto.- Hoy, mientras contemplábamos la puesta de sol de regreso a casa para la cena, Lucy ha hecho un comentario muy extraño:

—¡Otra vez sus ojos rojos! Son exactamente iguales.

He mirado hacia donde ella miraba, a nuestro banco. Un hombre estaba sentado en él. Sí, tenía los ojos brillantes, como dos carbones encendidos, pero debía de ser por el reflejo de las vidrieras de la iglesia.

Hoy a Lucy le dolía la cabeza y se ha acostado temprano. He aprovechado para pasear mi melancolía debido a la ausencia de Jonathan. De regreso a la casa, he visto a mi amiga asomada a la ventana de nuestro dormitorio. Primero he pensado que me estaba esperando y he agitado el pañuelo. Pero no me ha devuelto el saludo. Cuando me he acercado más, he visto que tenía los ojos cerrados y la cabeza apoyada en el marco. En el alféizar había un pájaro muy grande. Intranquila, he subido de prisa a la habitación.

Temiendo que pudiese resfriarse, la he ayudado a meterse en la cama. Respiraba con dificultad y tenía una mano alrededor de la garganta, como si tuviese frío. Aunque está muy pálida y tiene la cara hinchada y ojeras, sigue estando muy guapa cuando duerme. Sin embargo, no me gusta nada la expresión de su cara. He de averiguar lo que le pasa.

15 de agosto.- Lucy se ha quedado en la cama durmiendo hasta tarde. He desayunado con su madre, que se ha mostrado contenta y triste a la vez con la noticia de que

el padre de Arthur está mejor y la boda podrá celebrarse pronto. Le alegraba que Lucy fuera feliz, pero le apenaba que se marchase y la dejase sola. Me ha confesado que tiene el corazón muy debilitado y el médico le ha confesado que le queda poco tiempo de vida. Me ha hecho prometer que no se lo diré a Lucy. ¡Ahora pienso que es una suerte que no le haya contado la aventura nocturna de su hija!

17 de agosto.- Desanimada, sigo sin noticias de Jonathan y Lucy está peor. Las heridas de la garganta no cicatrizan y todavía le cuesta respirar. No entiendo qué le ocurre, pues come con apetito, duerme más que suficiente y hace vida sana al aire libre. En cambio, su aspecto desmejora de día en día. Anoche me desperté y la vi con medio cuerpo fuera de la ventana. Cuando por fin logré reanimarla, se sentía muy débil y se ahogaba. No me ha querido decir por qué se asoma a la ventana. Si no mejora pronto, tendré que avisar al médico.

Carta de un abogado de Whitby a un abogado de Londres

[fechada el 17 de agosto]

Señores: Les adjunto la factura de la mercancía que hemos enviado y un juego de llaves. En total, son

cincuenta cajas con tierra, que deben llevarse a una finca llamada Carfax. Han de dejarlas en la antigua capilla de la finca. La casa está deshabitada. Les rogamos que dejen las llaves en el vestíbulo, donde las recogerá el dueño. Atentamente,

Samuel F. Billington e hijo

RESPUESTA DEL ABOGADO DE LONDRES AL DE WHITBY

[fechada el 21 de agosto]

Muy señores nuestros: Hemos entregado la mercancía de acuerdo con sus instrucciones, y las llaves han sido depositadas en el vestíbulo principal dentro de un sobre. Atentamente,

Carter, Patterson & Cía

DIARIO DE MINA MURRAY

18 de agosto.- Le he preguntado a Lucy si recordaba lo que había soñado la noche que fue al cementerio.

—No lo soñé, parecía real —me ha dicho—. No sé por qué quería ir a ese banco. Tenía miedo de algo. Todos los perros del pueblo ladraban mientras me dirigía allí. Recuerdo vagamente una figura alargada y oscura. Noté

que algo muy dulce y al mismo tiempo amargo me envolvía. Tuve la sensación de que mi alma abandonaba mi cuerpo y flotaba. ¡Y vi que me despertabas antes de llegar a sentir el roce de tus manos!

Qué raro resultaba aquello. No me ha gustado nada lo que he escuchado. Pensando que lo prudente sería distraerla, he desviado la conversación hacia los preparativos de la boda y hemos terminado por pasar juntas una agradable velada.

19 de agosto.– ¡Qué alegría! Al fin he recibido noticias de Jonathan. Ha estado internado en un hospital de Budapest, muy enfermo. Por eso no me escribía. La monja que le ha cuidado todo este tiempo me ha escrito una carta. Dice que tiene delirios, en los que habla de demonios, lobos, sangre... y se disculpa por el retraso en dar noticias. Resulta que no llevaba nada encima que lo identificara. La carta me la ha enviado el señor Hawkins, quien apunta que quizá convendría que nos casáramos allí donde ahora está Jonathan. Pienso ir mañana mismo a reunirme con él.

Diario del Dr. Seward

19 de agosto.– Renfield está muy excitado. Va diciendo que su amo anda cerca. Esta noche ha arrancado los barrotes de la ventana de su habitación y se ha escapado.

El celador se ha dado cuenta cuando el paciente ya había salido del recinto, aunque pudo ver en la dirección que huía. Yo he echado a correr hacia allí en cuanto me lo ha comunicado. Pasada la arboleda que rodea el recinto hospitalario, he visto una figura blanca encaramarse al alto muro que separa nuestro jardín de Carfax, la casa deshabitada de al lado. Renfield iba hablando solo:

—Amo, soy tu esclavo. Espero tus órdenes.

Estaba tan fuera de sí que hemos tenido que ponerle una camisa de fuerza.

Capítulo 9

Carta de Mina Murray a Lucy Westenra

Budapest, 24 de agosto

Querida Lucy:

No recuerdo nada en absoluto del viaje, tan impaciente estaba por ver a Jonathan. Lo he encontrado muy desmejorado: delgado, pálido y muy débil. Y lo que es peor: el pobre no se acuerda de nada de lo que le ha pasado en las últimas semanas. Me ha entregado su diario diciendo que no quería conocer el secreto que contiene. Es de los que piensan que una pareja no debe ocultarse nada, por eso me ha dado permiso para leerlo, pero no lo haré. La monja que lo ha cuidado me ha contado que Jonathan decía cosas espantosas en sus delirios. Pero cuando le he preguntado por esas cosas, se ha santiguado y ha guardado silencio. Más tarde, al verme pensativa, me ha dicho:

—Solo le diré que no es nada de lo que deba preocuparse, nada que afecte a su futura relación matrimonial; su angustia tenía que ver con cosas terribles que ningún mortal puede tratar.

No entiendo por qué tanta intriga. Pese a todo, soy la mujer más feliz del mundo, Lucy. ¡Nos hemos casado esta tarde! La ceremonia se ha celebrado aquí, en la misión inglesa. Jonathan estaba acostado en la cama, pero eso no le ha impedido decir el «sí, quiero» con firmeza.

Estoy convencida de que sabes por qué te cuento todo esto. Porque soy muy feliz, y porque tú has sido y eres la mejor amiga que he tenido, y por eso mismo te deseo que seas tan feliz al menos como yo lo soy. Espero que Arthur y tú podáis casaros muy pronto. Me sabe muy mal que Arthur no pueda ocuparse más de ti a causa de su padre enfermo. Por cierto, ¿se encuentra mejor? Con todo mi cariño,

Mina

Carta de Lucy Westenra a Mina Murray

Querida Mina:

¡Cuánto me alegro! Ojalá que regreséis pronto y podamos pasar unos días juntos; estoy convencida de que el aire del mar le sentará bien a tu marido. ¡A mí me ha curado del todo! Ya no camino sonámbula, como

mucho y me siento llena de vida. Arthur asegura que estoy engordando. Tanto su padre como mi madre se encuentran mejor. Por eso hemos avanzado la boda: ¡será el 28 de septiembre! Naturalmente, cuento con vosotros. Muchos besos,

Lucy

DIARIO DEL DR. SEWARD

20 de agosto.- El caso de Renfield es cada vez más interesante. Durante el día actúa de forma violenta, pero desde el anochecer hasta el amanecer permanece tranquilo. Quisiera saber por qué se comporta de este modo tan variable. He pensado en ayudarlo a escapar para poder seguirle y observarle.

23 de agosto.- Cuando vio la jaula abierta no quiso salir. De forma que mis planes han fracasado. Pero al menos, sus periodos de tranquilidad se han alargado. Así que he dado orden de que le dejen estar en la habitación acolchada sin la camisa de fuerza una hora antes de la salida del sol; estoy seguro de que eso le aliviará.

Lo que son las cosas, acaban de decirme que se ha escapado de nuevo.

Más tarde.- Ha esperado a que el celador hiciera su ronda para salir corriendo por el pasillo. Como en la

ocasión anterior, ha ido a la finca de al lado. Lo hemos encontrado en la vieja capilla. Al principio se ha enfurecido cuando nos ha visto, pero de pronto se ha calmado. No puedo explicar por qué entonces he mirado a nuestro alrededor. No buscaba nada en particular y no he visto nada. Tampoco he descubierto nada especial cuando he seguido la mirada del paciente, excepto que un murciélago se alejaba hacia poniente. Volaba recto, en lugar de hacerlo yendo y viniendo dando vueltas, como es lo habitual en este mamífero nocturno.

Diario de Lucy Westenra

24 de agosto.- Me propongo hacer como Mina y anotarlo todo en este cuaderno. La añoro mucho. Quisiera que estuviera a mi lado ahora que me siento desgraciada. Estoy rodeada de tinieblas, agotada y todo lo olvido, no tengo fuerzas para nada. Arthur se ha preocupado mucho cuando me ha visto así a la hora de comer, pero soy incapaz de fingir alegría. Intentaré dormir en la habitación de mamá.

25 de agosto, en Londres.- He vuelto a tener pesadillas, como en Whitby. Me dan tanto miedo los sueños que tengo que me esfuerzo para no dormirme. Ayer oí unos golpecitos en la ventana; como no me acuerdo de nada más, supongo que me dormí. Ahora me siento terriblemente débil y me duele la garganta. Me ahogo, como si no me entrara suficiente aire en los pulmones. ¿Estaré enferma de los bronquios? Tengo que impedir que Arthur se preocupe por mí cuando venga. Trataré de mostrarme alegre.

Carta de Arthur Holmwood al Dr. Seward

31 de agosto

Apreciado amigo:
¿Puedo pedirte un favor? Lucy no está bien. No es que

tenga una enfermedad concreta, pero su aspecto es horrible. No puedo hablar con su madre porque temo que el disgusto la mate (la pobre padece del corazón). Algo está consumiendo a Lucy por dentro y no sé qué puede ser. Me destroza verla tan alicaída. ¿Podrías visitarla? Ella está de acuerdo. Yo no podré estar presente, porque mi padre ha empeorado y he de ir y estar a su lado. Gracias por todo.

Respuesta del Dr. Seward a Arthur Holmwood

2 de septiembre

Mi querido amigo:

Tu prometida no tiene ninguna enfermedad que yo conozca. Le he hecho análisis de sangre y no hay nada anormal; quizá sea que tiene poca. Se queja de ahogo, tiene pesadillas y pasea dormida. Creo que sufre de algún trastorno mental, pero ignoro cuál podría ser. He pedido a un amigo mío de Ámsterdam que venga a verla. Se trata del profesor Van Helsing, uno de los mejores científicos y filósofos del mundo. Su especialidad son las enfermedades raras. Aunque sus métodos son un poco especiales, confío plenamente en él.

Carta del Dr. Seward a Arthur Holmwood

3 de septiembre

Querido Art:

Mi amigo holandés ha explorado a Lucy minuciosamente y con la mayor discreción, para no despertar las sospechas de su pobre madre. Está preocupado. Según él, Lucy ha perdido mucha sangre, pero en cambio no está anémica. Como ha de volver a Ámsterdam, me enviará un informe en cuanto pueda. Me ha asegurado que vendrá otra vez si es necesario. Me he comprometido a mantenerlo al corriente de la evolución de Lucy.

Diario del Dr. Seward

4 de septiembre.- Renfield ha tenido un ataque de los suyos este mediodía. Empezó a inquietarse poco antes de las doce, y cuando eran exactamente las doce en punto se ha puesto furioso, hasta el extremo de que tuvieron que acudir varios hombres para poder reducirlo. Sus gritos sobrecogedores alborotaron a otros pacientes. Ha cenado y ahora está sentado en un rincón, como si meditara.

Más tarde.- Ya mucho más tranquilo, se ha puesto a cazar moscas. Se las comía y con la uña apuntaba las capturas que hacía en el acolchado de las paredes. Cuando

me ha visto, se ha disculpado por su conducta. Me ha pedido que le dejase ir a su habitación y le devolviese su cuaderno. Me ha parecido bien. Luego, ha esparcido azúcar por la ventana abierta y ha guardado las moscas que capturaba en una caja. También buscaba arañas. Por la tarde, lo he encontrado abatido. No dejaba de repetir las mismas cosas: «¡Me ha abandonado! ¿Qué haré ahora?». Quizá su humor está condicionado por el ciclo del día y la noche...

Medianoche.- He encontrado a la señorita Westenra muy recuperada. De vuelta en el hospital, estaba contemplando la puesta de sol cuando he oído gritar a Renfield. Ha sido tremendo el contraste de la sutil belleza de la puesta de sol londinense y la miseria que esconde este frío edificio. A medida que el sol se hundía, mi paciente se iba calmando. Luego, con aparente serenidad, se ha levantado, ha ido a la ventana y ha recogido el azúcar; a continuación, ha vaciado la caja y ha tirado a las moscas por la ventana. Cuando le he preguntado por qué lo había hecho, ha respondido:

—¡Estoy harto de estas tonterías!

TELEGRAMA DE SEWARD A VAN HELSING

4 de septiembre

Paciente mejor.

Telegrama del Dr. Seward a Van Helsing

5 de septiembre

Paciente mucho mejor. Duerme bien, come con apetito y está animada. Recupera color.

Telegrama del Dr. Seward a Van Helsing

6 de septiembre

Empeoramiento repentino. Venga enseguida.

Capítulo 10

Diario del Dr. Seward

6 de septiembre.- Lucy no se encuentra nada bien. Su madre está muy preocupada y me ha pedido mi opinión profesional. He aprovechado para hablarle del profesor Van Helsing, que vuelve mañana. De este modo, no le extrañará si lo ve por su casa con frecuencia. He escrito una carta a Arthur explicándoselo todo. Espero que no se preocupe demasiado. Tengo pensado pedirle que venga solo en caso de que sea totalmente imprescindible.

7 de septiembre.- He ido al puerto a recoger a Van Helsing, y juntos hemos ido directos a casa de Lucy. De camino, me he acordado de los años en que yo acudía a sus clases y le escuchaba fascinado. Hoy me ha

recordado que hay que evitar centrarse en el estudio de los grandes casos cuando, en realidad, no hay nada que sea pequeño. Todo es igual de importante. Me ha aconsejado que tomara nota de todo, incluso de las dudas y suposiciones. Ha terminado diciendo:

—¡Aprendemos más de los propios fracasos que de los éxitos!

Le he puesto al corriente del estado de la enferma. Su semblante se ha tornado serio, como si no le gustase lo que estaba oyendo. Tiene alguna idea de cuál es el problema, pero no se la quiere decir a Arthur. ¡Ni a mí tampoco! ¡Afirma que todavía no estoy preparado!

La señora Westenra nos esperaba en el salón. Preocupada, pero no hasta el extremo de inquietarme. No obstante, mi experiencia médica me aconsejaba que no estuviera presente en el reconocimiento de su hija; cuando se lo he dicho, ha estado de acuerdo.

A Lucy la hemos encontrado pálida como un cadáver, con los labios blancos y los huesos de la cara muy marcados. La pobre no tenía fuerzas ni para hablar. Van Helsing se ha impresionado. Cogiéndome del brazo, me ha llevado fuera de la habitación. Una vez en el pasillo, me ha dicho:

—No hay tiempo que perder. Hemos de hacerle urgentemente una transfusión de sangre. Pero con cuál, ¿la suya o la mía?

—La mía —he dicho con determinación—. Yo soy más joven y más fuerte.

La transfusión de sangre es una operación arriesgada, que no siempre sale bien. Mientras estábamos con los preparativos, se ha presentado Arthur. Al principio, a Van Helsing no le ha gustado nada verlo allí, pero cuando se ha fijado en la constitución atlética del prometido de Lucy, sus ojos se han iluminado. Al tiempo que le estrechaba la mano, le ha comunicado a Arthur sus temores sobre la enferma y le ha explicado la necesidad de hacer una transfusión. Por supuesto, el joven se ha ofrecido para «pasar sangre de las venas de quien las tiene llenas a las venas de quien las tiene vacías y suspira por ella», en palabras de Van Helsing.

El profesor ha dormido a Lucy con un somnífero antes de la operación. A medida que la sangre pasaba del uno al otro, Lucy recobraba el color sonrosado en sus mejillas mientras Arthur iba perdiendo el suyo. El doctor vigilaba todo el proceso, observando atentamente a ambos.

Al terminar, la cinta que siempre lleva Lucy alrededor de la garganta se ha desplazado dejando al descubierto un punto rojo. Cuando lo ha visto, a Van Helsing se le ha escapado una exclamación. Estaba turbado pero se ha repuesto enseguida por temor a que Arthur se diera cuenta de la marca. Lo ha enviado a casa con la excusa de que debía comer y descansar. Una vez solos nosotros dos con Lucy, le he preguntado a Van Helsing qué opinaba de aquella señal roja en la garganta. Tiene los bordes blancos, pero me ha parecido que era demasiado pequeña como para que hubiese salido por ahí la sangre que ha perdido, mucha a juzgar por la extrema palidez de la enferma antes de la transfusión.

—He de consultar unos libros que tengo en Ámsterdam —se ha limitado a decir por toda respuesta—. Mientras, quédese usted con ella toda la noche. No la deje sola ni un momento.

8 de septiembre.- Gracias a la sangre de Arthur, Lucy ha recuperado su aspecto saludable. Ayer estaba contenta de que me quedase velándola. Pero se comportaba de forma extraña: hacía visibles esfuerzos para no dormirse. Le pregunté si no quería dormir

—Es que cuando duermo me debilito —me dijo.

Para convencerla de que durmiera tranquila, le prometí que si notaba que tenía una pesadilla la despertaría de inmediato. Lucy no se ha movido durante toda la noche y ha dormido de un tirón, con una sonrisa en los labios. Eso quería decir que su sueño estaba siendo tranquilo.

Esta mañana he escrito a Arthur y a Van Helsing contándoles el restablecimiento de Lucy. Luego me he puesto al día en mi trabajo. Mi paciente zoófago ha pasado una jornada tranquila.

9 de septiembre.- Ayer fue el segundo día que pasaba sin dormir y por la noche me sentía muy cansado. Lucy se dio cuenta e insistió en que me acostara.

—Me encuentro completamente bien —afirmó—. No es necesario que me vele esta noche.

Después de cenar, me mostró la habitación contigua a la suya. Había un cómodo sofá junto a una chimenea en la que ardía un agradable fuego. Lucy repetía que me avisaría si necesitaba algo. No me atreví a contradecirla. Lo último que recuerdo es que me tendí en el sofá.

Diario de Lucy Westenra

9 de septiembre.- Esta noche me siento muy dichosa. Haber recuperado las fuerzas es como sentir el sol después de una larga temporada de cielos nublados y frío intenso. De alguna manera, noto que Arthur está muy cerca de mí. ¡Le quiero tanto! Además, ya no tengo miedo de dormir, con John Seward aquí al lado.

Diario del Dr. Seward

10 de septiembre.- Noté una mano en mi cabeza. Era Van Helsing que me despertaba.

—¿Cómo está nuestra paciente?

—Bien cuando la dejé... o cuando ella me dejó a mí —le contesté.

Entramos en su habitación. Mientras yo levantaba la persiana, Van Helsing soltó un grito de horror.

Señalaba hacia la cama donde Lucy yacía desmayada, más blanca que nunca. Se le notaban los huesos, y también los dientes, como si las encías se hubieran reducido. Era urgente hacerle una segunda transfusión de sangre. Como no había tiempo de avisar a Arthur, me arremangué la camisa. Al cabo de un rato, Lucy había recuperado un poco de color. ¡Qué emocionante es dar sangre a la mujer que quieres!

Me sentía algo mareado y Van Helsing me mandó a desayunar para reponer fuerzas. A punto de salir de la habitación, me aconsejó que no dijera nada a nadie. En especial al joven enamorado Arthur, sobre todo por no preocuparlo, y también por si se ponía celoso.

Lucy durmió todo el día. Cuando se despertó, no recordaba nada. Van Helsing la examinó y, antes de salir a dar una vuelta, me ordenó que no la dejara sola ni un segundo. Mientras yo descansaba en una habitación al lado del dormitorio de Lucy, no hacía otra cosa que preguntarme cómo había podido ella perder tanta sangre. Me dormí pensando en las heridas de la garganta.

11 de septiembre.– Hoy, tanto Lucy como Van Helsing estaban de muy buen humor. Por la tarde, el profesor ha recibido un paquete del que ha sacado un ramo de flores blancas.

—Son para usted —le ha dicho a Lucy.

—¡Si son flores de ajo! —ha exclamado ella—. Creo que me está gastando una broma, ¿verdad?

—En absoluto. No estoy bromeando. —Lo ha dicho tan serio que Lucy casi se ha espantado—. Pero tampoco tiene que temer nada. Son unas flores medicinales que he hecho traer de Haarlem. Con ellas le trenzaré un collar y también las colocaremos por todo el dormitorio.

Además, Van Helsing ha cerrado la ventana y con un puñado de flores de ajo ha frotado su marco. A continuación, ha hecho lo mismo con el marco de la puerta y también alrededor de la chimenea.

—Ahora puede dormir tranquila, pero sobre todo no abra la ventana ni la puerta —le ha ordenado, y se lo ha hecho prometer.

Todo aquello me ha parecido poco serio, más propio de un exorcista que de un hombre de ciencia.

—¡Se diría que es un ritual para espantar los malos espíritus, profesor! —le he reprochado después.

—¿Quién dice que no lo sea? —ha reído él.

Capítulo 11

Diario de Lucy Westenra

12 de septiembre.– ¡Cómo se preocupa todo el mundo por mí! Gracias a estas flores del profesor Van Helsing, me siento más tranquila. Ya no me inquietarán los golpecitos de cada noche en la ventana. ¡Qué afortunada es la gente que puede dormir sin tener miedo por nada! Es curioso: antes detestaba el ajo y ahora hace que me sienta bien.

Diario del Dr. Seward

13 de septiembre.– Esta mañana, Van Helsing y yo hemos llegado muy temprano a casa de Lucy. Su madre ha salido a recibirnos muy contenta. Nos ha anunciado que su hija se encontraba mucho mejor.

—¡Eso significa que mi tratamiento ha surtido efecto! —ha exclamado Van Helsing, frotándose las manos de satisfacción.

—¡Doctor, no todo el mérito es suyo! —ha dicho la señora Westenra.

—¿Qué quiere decir?

—Pues que anoche estaba muy inquieta por mi querida hija y entré en su habitación. Dormía profundamente, pero la estancia estaba tan cargada con aquella peste a ajo que temí que le sentara mal. Así que ventilé la habitación abriendo un poco la ventana.

En cuanto la mujer ha salido de la habitación para ir a desayunar, he mirado a Van Helsing. Estaba horrorizado. Se había controlado a causa del estado de salud de la madre de Lucy, pero en su ausencia ha estallado:

—¡Ha puesto en peligro la vida y el alma de su hija sin saberlo! ¿Qué hemos hecho para que los poderes infernales se hayan levantado contra esta pobre criatura? Pero no podemos rendirnos ahora; tenemos que seguir luchando.

Mientras decía esto, ha preparado los instrumentos para una tercera transfusión de sangre. ¡Porque nos hemos encontrado a una Lucy casi moribunda cuando hemos entrado en su dormitorio! En esta ocasión, Van Helsing ha argumentado que yo estaba aún débil y que él mismo sería el donante. Por suerte, Lucy ha vuelto a recuperar el color de sus mejillas y a respirar con regularidad. Después, Van Helsing ha explicado a la señora

Westenra que las flores de ajo tienen propiedades medicinales y le ha pedido que por favor no las toque.

¿Qué significa todo esto? ¿Me estaré volviendo loco?

Diario de Lucy Westenra

17 de septiembre.- Cuatro días y cuatro noches seguidas de paz. He dejado de padecer pesadillas desde que Van Helsing está conmigo. Aunque mañana regresa a Ámsterdam, ya no tengo miedo porque me encuentro mucho mejor. Anoche, algo —murciélagos o ramas o no sé qué— golpeaba en la ventana insistentemente, casi con rabia. Me despertó, pero me volví a dormir tranquilamente.

UN LOBO SE ESCAPA DEL ZOO DE LONDRES

The Pall Mall Gazzette, 18 de septiembre

El señor Bilder, que es el cuidador de los lobos, las hienas y los chacales de nuestro zoológico, le contó a este periodista: «Ayer por la tarde oí alboroto y fui corriendo hacia la zona de los lobos. Los encontré inquietos y mordiendo los barrotes. Algo raro, porque ya habían comido. Entonces, cerca de la jaula del lobo que se escapó vi a un hombre. Era alto y delgado, y sus ojos rojos tenían una mirada dura y fría. No me gustó nada. Cuando le dije que era él quien ponía nerviosos a los animales, me contestó: "Oh, no. Yo les caigo bien". A continuación le rascó la cabeza a un lobo, pasando la mano entre los barrotes. Le previne contra el animal, y él respondió que estaba acostumbrado a tratar con lobos, que había tenido algunos. Después, se marchó. El animal lo siguió con la mirada hasta que el hombre hubo desaparecido y ya no se movió en el resto de la tarde. Hasta que salió la luna, entonces este y los demás lobos empezaron a aullar. Poco antes de las doce, en mi ronda nocturna, ¡el lobo había desaparecido!». Me estaba exponiendo su teoría de que el lobo andaría asustado por algún lugar del parque buscando algo para comer, cuando un ruido ha atraído su atención. Era el lobo fugitivo, que volvía él solito. El animal se mostraba manso, y tenía cortes en la cabeza y pequeños trozos de vidrio entre los pelos. Así pues, el lobo feroz que había mantenido en vilo a toda la ciudad estaba allí cabizbajo. Un caso misterioso, sin duda.

Diario del Dr. Seward

17 de septiembre.– ¡Renfield ha venido a mi despacho y me ha atacado! Como los pacientes no entran nunca en el despacho del director, me ha cogido por sorpresa. Me ha cortado en una mano con el cuchillo que llevaba. Antes de que pudiera atacarme de nuevo, le he derribado de un puñetazo. Aprovechando que estaba tendido en el

suelo, me he vendado la herida. Entonces, he sido testigo de algo repugnante. Renfield estaba tumbado boca abajo lamiendo mi sangre, que formaba un pequeño charco sobre la alfombra. Mientras lo hacía, iba diciendo: «¡La sangre es vida! ¡La sangre es vida!».

18 de septiembre.- Necesitaría descansar, pero no puedo. He recibido un telegrama de Van Helsing. Me pide que pase la noche con Lucy, que cuide de que siempre tenga las flores de ajo en su sitio y que no la pierda de vista. El telegrama ha llegado con retraso. Voy corriendo a coger el tren para Londres. ¡Anoche Lucy durmió sola!

NOTA DE LUCY WESTENRA

18 de septiembre, de madrugada.- No tengo fuerzas ni siquiera para escribir. La debilidad me está matando, pero tengo que contar con todo detalle lo que ha pasado esta noche.

Me acosté a la hora de costumbre, después de comprobar que las flores estaban en su sitio. No tardé en dormirme. Al cabo de un rato, me despertaron los ruiditos de siempre. Esos que se repiten desde aquella noche que fui sonámbula al cementerio de Whitby.

Oí el aullido de un perro. Y vi a un murciélago enorme a través de los vidrios de la ventana. Me asusté y volví a acostarme con el propósito de mantenerme

despierta. Entonces entró mi madre, a la que también habían despertado los ruidos. Se sentó junto a mí. Le pedí que se metiera conmigo en la cama, para que no se enfriara. Se quedó dormida muy pronto. Al cabo de un rato, el roce de unas alas contra el vidrio la despertó. Traté de tranquilizarla. ¡De repente, la ventana se rompió y saltó dentro del dormitorio un lobo enorme! Mi madre se incorporó y señaló hacia la ventana rota. Sin darse cuenta, se agarró a mi collar de flores de ajo y lo arrancó en un gesto desesperado. Luego respiró con dificultad, como si se ahogara y cayó muerta encima de mí. Su corazón no pudo resistir aquel horror. Me quedé como hipnotizada y perdí el conocimiento.

Cuando recobré la conciencia, no sabía qué me había ocurrido. Oí una campana, perros que ladraban y el canto de un ruiseñor. Las criadas acudieron alarmadas por el ruido. Cuando entraron en el dormitorio y vieron a mi madre muerta, empezaron a gritar. La acostaron en la cama y yo la cubrí con las flores. Entonces la puerta se cerró de golpe. Las criadas echaron a correr hacia el comedor. Momentos después, al no responder a mi llamada, he ido en su busca. Las he encontrado tumbadas en el suelo, drogadas. Ahora escribo esta nota que me esconderé en el pecho al lado de mi madre muerta. Fuera se oye el aullido del lobo y no me atrevo a salir. ¡Me siento en peligro! Sé que me estoy muriendo. ¡Adiós, Arthur! ¡Que Dios me ayude!

Capítulo 12

Diario del Dr. Seward

18 de septiembre, por la mañana.– He llamado suavemente a la puerta de la casa Westenra tan pronto he llegado. No quería despertar a Lucy ni a su madre, pero nadie ha ido a abrirme. «¡Qué perezosas son las criadas!», he pensado. Pero de pronto he tenido un mal presentimiento: ¿y si la muerte se me había adelantado? Sabía que el tiempo corría en contra nuestra.

No encontraba la forma de entrar. Todas las puertas y ventanas estaban bien cerradas. Entonces llegó Van Helsing, que enseguida tuvo una idea: de su maletín de médico sacó una sierra. Con ella nos pusimos a serrar los barrotes de una ventana de la parte de atrás de la casa, y así logramos entrar. En el interior, encontramos a las cuatro criadas tendidas en el suelo.

Subimos corriendo a la habitación de Lucy. Primero nos detuvimos un momento a escuchar detrás de la puerta. No se oía nada. ¡Qué espectáculo tan terrible hallamos al entrar! Madre e hija estaban tumbadas en la cama. La cara de la madre mostraba una expresión de horror. Lucy estaba más pálida que la muerte. No llevaba la guirnalda de flores de ajo alrededor del cuello; su garganta mostraba las dos pequeñas heridas que ya le habíamos visto con anterioridad. Pero estaban más abiertas que nunca, con el borde blanco. Van Helsing se inclinó sobre el pecho de la joven y un instante después exclamó:

—¡No es demasiado tarde! ¡Todavía respira! ¡Tráigame coñac, de prisa! ¡Y despierte a las criadas! Que preparen un baño caliente.

Tuve que zarandear a las criadas, que se pusieron a sollozar cuando les puse al corriente de la gravedad del estado de Lucy. Una vez que conseguí calmarlas, la metimos en la bañera, le frotamos brazos y piernas, y logramos que reaccionara. Pese a que había entrado en calor, aún se encontraba a las puertas de la muerte. El profesor trabajaba con más ardor del que yo le había visto nunca antes. El corazón de Lucy parecía recobrar algo de su ritmo y la trasladamos a otra habitación que disponía de una ventana completa. Justo cuando Van Helsing estaba con los preparativos para una nueva transfusión, una criada nos anunció una visita.

—¡Quincey Morris, qué alegría!

Nuestro viejo amigo llegaba en el momento oportuno. Venía por encargo de Arthur, que estaba muy preocupado. Enviaba a su amigo al no poder él dejar a su padre, todavía enfermo. Por descontado, nuestro amigo americano se sintió muy orgulloso de poder dar sangre a la mujer que quiere. Pero esta vez la transfusión no hizo el efecto esperado. Lucy estaba demasiado débil, y la muerte de su madre no ayudaba. Verla en aquel estado me resultaba doloroso. Acompañé a Quincey al piso de abajo para que recuperase las fuerzas tomando un buen desayuno. Luego, regresé a la habitación en la que se encontraba Lucy.

Al entrar encontré a Van Helsing pensativo, con una nota en la mano. Me contó que la había recogido del suelo cuando trasladábamos a Lucy al baño y me la tendió. Después de leerla, me quedé en silencio. Luego, le pregunté al profesor qué significaba todo aquello, si Lucy corría algún peligro.

—Eso no ha de preocuparle. Más adelante se lo explicaré todo, a su debido tiempo. —¿Continuaré sin estar preparado para saber lo que ocurre?

Quincey preguntó sobre el estado de Lucy. Después estuvo hablando de los vampiros de la Pampa argentina, de una vez que tuvo que rematar a un caballo al que habían sacado la sangre. No saber lo que le pasa a la mujer que ama, pese a que ella no le corresponda, le afecta mucho. Y al resumirle lo sucedido en los últimos diez días, se ha ofrecido rápidamente a ayudarnos en velar a la enferma.

Ya entrada la tarde, Lucy se ha despertado. Lo primero que ha hecho ha sido llevarse la mano al pecho y sacar la nota. ¡Van Helsing ha tenido la sabia ocurrencia de volvérsela a poner allí! Hacia el atardecer se ha adormilado, y entonces ha sucedido algo totalmente extraño: se ha sacado la nota del pecho y la ha roto en pedazos.

19 de septiembre.- Van Helsing, Quincey y yo hemos velado a Lucy toda la noche. Quincey tiene claro que el enemigo es exterior, y ha montado guardia fuera de la casa. Parece que Lucy se está muriendo. Casi no ha probado bocado. Los alimentos le sientan mal. Ha adelgazado tanto que los dientes se le notan mucho más. Incluso da la impresión de que están más afilados. Dado su estado, decidimos avisar a Arthur para que viniese lo antes posible. Cuando este ha llegado, como hacía días que no la veía, su aspecto le ha producido una gran impresión. Por suerte, ella se ha animado un poco al verle.

20 de septiembre.- Hoy Renfield ha causado problemas. Me he enterado por un informe del colega que me sustituye estos días. Cuando delante de su ventana pasaban dos hombres con un carro en el que transportaban cajas de madera, él ha empezado a insultarlos. Ha continuado insultándolos hasta que los hombres han entrado en la vecina casa vacía. He ido a hablar con él para averiguar el porqué de su comportamiento, pero ha hecho como si no se acordara de nada: era otra de sus

astucias. Más tarde, ha arrancado los barrotes de su celda y se ha escapado. Ha ido hasta Carfax, la casa de al lado. Allí se ha peleado con los dos transportistas. Gritaba: «¡Lucharé por mi dueño y señor!», completamente fuera de sí. Hasta que no han llegado los celadores, no hemos conseguido calmarlo.

Pero ahora tengo otras preocupaciones. Esta noche en que lucía la luna llena, mientras velaba a Lucy he visto a un murciélago en la ventana. Me he sentado junto a la cama y Lucy se ha agitado en sueños. Me he fijado que se había arrancado las flores de la garganta. Y que sus colmillos eran más largos que el resto de dientes. Supongo que es un efecto óptico. Cuando se medio despertaba, abrazaba las flores y, cuando quedaba inconsciente, se las volvía a arrancar. ¡Qué lucha se debatía en su interior! Sin duda, una lucha contra la muerte.

Al amanecer, ha entrado Van Helsing para examinarla. Cuando le ha apartado las flores de ajo del cuello, ha descubierto que las dos heridas le habían desaparecido por completo.

—Se está muriendo. Es cuestión de poco tiempo. Vaya a avisar a su prometido.

Arthur dormía en un sofá del comedor. Le he comunicado los temores de Van Helsing; se ha ocultado la cara con las manos y ha sollozado. Poco después, le he acompañado a la habitación de Lucy. Ella le ha sonreído, y al hacerlo ha dejado al descubierto unos colmillos largos y finos.

—¡Amor mío! ¡Ven a besarme! —le ha susurrado con una voz irreconocible.

Arthur se ha inclinado sobre ella, pero Van Helsing le ha sujetado.

—¡No lo haga! —le ha ordenado—. ¡Por la salvación de su alma! ¡Y por el alma de Lucy! Cójale mejor de la mano.

Un rato más tarde, Lucy ha recuperado su dulzura de siempre. Y ha muerto.

—Se acabó. Ahora ya descansa en paz —he dicho—. Es el final.

—¡No, por desgracia no es así. Es el principio!

¿Qué habrá querido decir el profesor?

Cartas de Mina a Lucy (no abiertas)

17 de septiembre

Querida Lucy:

¿Cómo estás? Quisiera ir a visitarte, pero no puedo. Por fin he traído a Jonathan a Exeter. Ha mejorado, pero aún está débil y nervioso. El señor Hawkins le ha hecho socio del bufete de abogados. Y no solo eso; también nos ha dejado todo lo que tiene en su testamento, y ahora vivimos en su casa. ¡Dice que es su regalo de boda! Por cierto, ¿cómo van tus preparativos de boda? Y tu madre, ¿se encuentra bien? Escríbeme pronto y cuéntamelo todo, por favor.

18 de septiembre

Querida Lucy:

He de darte una mala noticia. El señor Hawkins ha muerto de repente. Era como un padre para nosotros. Jonathan está terriblemente afectado y ha empezado a dudar de estar a la altura, de ser capaz de llevar el bufete él solo. Trato de animarle. Porque creo en él, un hombre bueno, sencillo y noble. Me esfuerzo, pero me cuesta cada vez más aparentar que estoy alegre y animada delante de él. Por eso recurro a ti, mi mejor amiga. Te quiere, Mina.

Capítulo 13

Diario del Dr. Seward

20 de septiembre (continuación).- Pasado mañana por la noche se celebrará el funeral por Lucy y su madre. Y, además, mañana el pobre Arthur tiene que ir al entierro de su padre. Entre eso y que no tienen parientes cerca, Van Helsing y yo hemos tenido que encargarnos de los trámites. Aparte, hemos tenido que registrar la casa en busca de los papeles de la difunta. Van Helsing no quería que los escritos de Lucy, como la nota que llevaba en el pecho, pudieran caer en manos de extraños. Mientras yo me encargaba de contactar con el abogado de la familia, el profesor ha encontrado cartas y un diario de Lucy. Después de haberlos leído, me ha dicho:

—Mañana por la noche usted y yo iremos a la capilla ardiente. Hemos de operar a Lucy.

—¿Quiere decir que abriremos el cadáver, que le practicaremos una autopsia? ¡Eso es monstruoso!

—Al contrario. Es necesario que le cortemos la cabeza y le extraigamos el corazón.

No salía de mi asombro. ¿Había entendido bien? Aún estaba horrorizado por lo que acababa de oír, cuando hemos ido a ver a la pobre Lucy.

Los empleados de la funeraria lo han preparado todo para que parezca una capilla ardiente, y Lucy ha recobrado todo su encanto. ¿Era realmente un cadáver lo que tenía delante?

El profesor estaba serio. Ha salido de la habitación y poco después ha regresado con flores de ajo y las ha colocado alrededor de la cama. El crucifijo de oro que llevaba en el cuello lo ha puesto encima de la boca de Lucy. Hace años que conozco a Van Helsing y, si no fuese porque confío en él, diría que se ha vuelto loco de remate. Porque confío en él, precisamente, le he prometido que lo ayudaría en lo que fuese, aunque no comprendo lo que está haciendo.

Más tarde.- Durante la noche, una de las criadas ha robado el crucifijo de oro que llevaba Lucy. Me lo ha contado Van Helsing, que me ha anunciado que ya es demasiado tarde para que «la operemos». Ha dicho que vienen días terribles y que ahora tenemos que esperar. Pero ¿esperar qué?, me pregunto.

He querido ver a Lucy por última vez. Cuando iba a su habitación me he cruzado con Arthur, que me ha dicho:

—Lucy me contó que tú también la amabas. Has de saber que ella te consideraba su mejor amigo. No sé cómo agradecerte lo que has hecho...

En ese instante me ha abrazado y ha llorado con la cabeza apoyada en mi pecho. Lo he consolado y hemos entrado a verla. Lucy estaba más hermosa incluso que antes, como si con el paso del tiempo aumentara su encanto. Arthur no creía que estuviera muerta. Luego hemos cenado los tres. Van Helsing le ha pedido a Arthur permiso para leer los papeles de Lucy. Puesto que ahora él era el propietario de todos los bienes de las difuntas, según había dispuesto la madre de Lucy en su testamento, se sentía en la obligación de pedírselo.

—Doctor, haga lo que crea conveniente —le ha contestado Arthur—. Estoy seguro de que Lucy habría aprobado que lo hiciese.

Diario de Mina Harker

22 de septiembre.- Escribo de regreso a Exeter. Jonathan duerme.

Hemos ido a Londres, al entierro del pobre señor Hawkins. Una vez terminado, paseábamos cogidos del brazo cuando Jonathan ha sufrido una fuerte conmoción.

Los ojos se le salían de las órbitas, de miedo y de sorpresa. Miraba fijamente a un hombre alto y delgado, con

la nariz aguileña y la mirada dura. Sus dientes estaban afilados como los de un animal. Le he preguntado qué le pasaba, temerosa de que le diera una crisis nerviosa.

—¿No lo reconoces?

—No lo conozco, Jonathan. ¿Quién es?

—¡Es él! ¡El conde en persona! ¿Cómo es posible que haya rejuvenecido tanto?

El hombre al que señalaba estaba pendiente de una hermosa joven. Estaba tan extasiado mirándola que no se ha dado cuenta de que le observábamos; por suerte, he pensado. Jonathan se ha quedado un rato como ausente. Cuando ha vuelto en sí, no se acordaba de nada. No quiero preguntarle, no vaya a ser que eso le provoque una recaída. Debo averiguar como sea qué le ocurrió en Transilvania.

Más tarde.- Por si no bastase con la muerte del señor Hawkins y el ataque de Jonathan, otra horrible noticia. He recibido un telegrama de un tal Van Helsing. Me comunica la muerte de Lucy y la de su madre. ¡Qué noticia más triste! ¡Y pobre Arthur, debe de estar destrozado!

DIARIO DEL DR. SEWARD

22 de septiembre.-Todo ha terminado. Arthur y Quincey se han ido juntos. Van Helsing ha regresado a Ámsterdam, pero estará de vuelta dentro de unos días. Dice

que debe hacer unas gestiones allí en persona, pero que su misión en Londres todavía no ha terminado. ¡Pobre hombre! Está trastornado. Después del entierro, reía y lloraba al mismo tiempo. Le divertía lo que Arthur ha dicho: «Desde que le di mi sangre, era como si estuviésemos casados». Pensándolo bien, los cuatro le hemos dado sangre; pero eso es algo que ninguno de nosotros tres le diremos nunca a Arthur. Y todos la hemos querido, cada uno a su modo... Todo ha terminado, y también este diario. Si alguna vez lo retomo, no será para escribir en él de mi vida amorosa.

MISTERIO EN HAMPSTEAD

The Westminster Gazette, 25 de septiembre

Durante los últimos dos o tres días, en el barrio de Hampstead de Londres han desaparecido algunos niños. Solo ha sido por unas horas, tras las que han vuelto a aparecer. Sin embargo, en algunos casos, la ausencia se ha prolongado hasta la mañana siguiente. Son tan pequeños que ellos no han sabido dar una explicación de lo sucedido. Todos hablan de una «hermosa dama», que nadie más ha visto. Los hechos siempre han pasado a última hora de la tarde. Entre los niños del barrio se ha puesto de moda jugar a «la hermosa dama». Es gracioso verles, con sus caras sucias, fingir que son esa misteriosa dama. Pero hay algo alarmante en este

asunto. Todos los niños presentan una pequeña herida en el cuello. Eso hace sospechar que el causante (¿un perro?, ¿una rata?) siempre actúa de la misma manera. La policía se mantiene en estado de alerta.

OTRO NIÑO HERIDO. EL CASO DE LA «HERMOSA DAMA»

The Westminster Gazette, 25 de septiembre, edición extra

Acabamos de saber que esta mañana han encontrado a otro niño en una zona poco frecuentada. Se le había dado por desaparecido ayer por la noche. Presenta la misma herida en el cuello que los demás niños. Está muy débil y pálido. Cuando se ha recuperado un poco, también ha hablado de que la «hermosa dama» le había llevado allí.

Capítulo 14

Diario de Mina Harker

23 de septiembre.- Jonathan se encuentra mejor. Por suerte, el trabajo lo distrae. Ya sabía que no me fallaría y asumiría sus responsabilidades. Como hoy no vendrá a comer y volverá tarde, leeré el diario que escribió en el extranjero. Creo que es el momento de hacerlo: quizá al leerlo encuentre la forma de ayudarle.

25 de septiembre.- ¡Pobrecito mío! ¡Cuánto debió de sufrir! Me pregunto qué habrá de cierto en este terrible relato de su estancia en Transilvania. ¿Estaba bajo los efectos de la crisis nerviosa cuando lo escribía...? Pero ¿y el hombre que vimos anteayer en Londres? Si Jonathan delira, es un delirio con mucha lógica... Porque el terrible conde iba a venir a Londres. Si lo ha hecho,

quizá ha llegado el momento de cumplir con el solemne deber de que habla Jonathan en su diario...

He recibido una carta de Van Helsing. En ella dice que ha leído todos los papeles de Lucy y se ha enterado de que éramos muy amigas. Como tiene interés en hablar conmigo, lo he invitado a venir hoy mismo. Se muestra enigmático al hablar de un asunto muy grave del que no quiere anticiparme nada. Estoy nerviosa porque sé que, de algún modo, lo que tenga que decirme está también relacionado con Jonathan.

Más tarde.– ¡Qué conversación tan rara! Le estoy dando vueltas desde que el profesor se ha marchado. Este hombre enseguida me ha inspirado confianza. Al ser amigo de Arthur, a la fuerza ha de ser una persona buena. Es robusto, de expresión franca y con unos ojos intensamente azules; y se le ve decidido. Ha dicho que su visita tenía relación con la muerte de Lucy. Me ha preguntado sobre nuestra estancia en Whitby, y en especial sobre el sonambulismo de mi amiga. No solo le he hablado de ello, sino que le he dejado leer mi diario. Cuando ha terminado de leerlo, ha dicho:

—¡Es un documento espléndido! ¡Ahora comprendo muchas cosas! Por cierto, ¿se encuentra mejor su marido? Hábleme de él.

Mientras le contaba a ese hombre sabio lo que había sucedido en Transilvania y luego aquí, en Londres, temía que se riera de mí o nos tomara por unos locos. Sin

embargo, se ha mostrado amable y se ha prestado a ayudarme.

—¡No ha de temer nada de mí! —me ha respondido—. He aprendido a tener la mente abierta. No menosprecio las creencias de nadie, por raras que sean.

Tranquilizada por aquellas palabras, me he decidido a entregarle el diario de Jonathan, y le he invitado a comer mañana con nosotros dos para que nos dijera entonces lo que piensa de todo eso.

DIARIO DE JONATHAN HARKER

26 de septiembre.– ¡Qué alivio me ha proporcionado saber que no estoy loco! Mina me ha enseñado la carta que Van Helsing le ha enviado después de haber leído mi diario de Transilvania. En ella afirma que todo lo que cuento allí es real. Eso significa, ni más ni menos, que a quien vi ayer fue al conde. Lo que no entiendo es cómo Drácula ha podido rejuvenecer tanto. Pero sea como sea, he dejado de tenerle miedo. Me siento seguro de mí mismo ahora que puedo confiar de nuevo en que lo que vi es cierto y no una alucinación.

Hoy ha venido Van Helsing a cenar y he podido conocerle en persona. Le he agradecido su carta, por la ayuda que me ha brindado lo que escribió a Mina. Luego me ha pedido un favor: quiere estar al corriente de todos los negocios que Drácula mantenía con mi firma de abogados antes de mi viaje a Transilvania. Naturalmente, le he dado toda la información de que dispongo. Ahora me siento fuerte para luchar contra el malvado conde. Codo a codo con el profesor. Van Helsing me ha confesado que su misión en Londres tiene relación con Drácula. Acabada la cena, lo he acompañado a la estación. Le he comprado unos diarios para el viaje, y se ha puesto a ojear el *Westminster Gazette*. No sé qué ha leído para que haya exclamado:

—¡Oh, Dios mío! ¿Tan pronto?

Por unos instantes, parecía que se hubiera olvidado de mí. Pero cuando el tren ha arrancado, él ha vuelto a la realidad. Se ha asomado a la ventana para despedirse de mí agitando la mano y ha enviado saludos para Mina.

Diario del Dr. Seward

26 de septiembre.- No, nada ha terminado. Y aquí estoy, de nuevo frente a la grabadora. He recibido una de carta de Arthur, y otra de Quincey. Arthur se está recuperando bastante bien, en parte gracias a la ayuda de Quincey, que es una persona muy animada. Por lo que a mí respecta, estoy superando la muerte de Lucy dedicado al trabajo. Renfield ha vuelto a concentrarse en las moscas y arañas, por lo que no ocasiona problemas. Todo parecía ir bien cuando, de pronto, ha vuelto Van Helsing de Exeter y me ha enseñado el periódico, muy excitado.

—¿Cómo se explica que los niños tengan exactamente las mismas heridas en la garganta que Lucy?

—No sé. Supongo que lo que sea que la hirió a ella los ha herido a ellos.

—¿De qué cree usted que murió Lucy?

—De una enfermedad nerviosa acompañada de una gran pérdida de sangre.

—¿Y qué le hizo perder tanta sangre?

Aquí ya no he sabido qué decirle.

—Usted es una persona inteligente, pero tiene demasiados prejuicios —ha añadido—. No deja que sus ojos vean ni que sus oídos oigan. ¡Hay cosas que no tienen explicación, pero existen, mi querido amigo! El gran error de la ciencia es que quiere explicarlo todo. Y lo que no puede explicar, lo aparca a un lado, negándole la existencia.

—¿Qué quiere decir?

—Que ha de creer.

—¿Creer? ¿En qué? Dígamelo.

—¡En que las heridas en el cuello de los niños las ha hecho Lucy!

Capítulo 15

Diario del Dr. Seward

26 de septiembre (ya de madrugada).-Me he indignado lo mismo que si Van Helsing le hubiese dado una bofetada a Lucy.

—¿Se ha vuelto loco, profesor?

—¡Ojalá fuera eso! —ha exclamado—. Preferiría mil veces la locura que soportar una verdad como esta. Sé muy bien que es difícil de aceptar algo tan triste. Y más por alguien que, como usted, la quería. Por eso he tardado tanto en decírselo, para no causarle dolor. Ahora, le ruego que confíe en mí y me acompañe al hospital.

Allí nos han dejado visitar a la última víctima de la «hermosa dama». Hemos estudiado las heridas que tenía en la garganta y no había duda: eran idénticas a las de Lucy, solo que más pequeñas y recientes. El médico,

un viejo amigo de Van Helsing, ha atribuido aquellas señales a la mordedura de algún animal, en particular a uno de los muchos murciélagos que abundan por el norte de Londres.

—Supongo que les dirán a sus padres que sobre todo lo vigilen para que no vuelva a perderse. Podría ser fatal para el niño —ha dicho Van Helsing al despedirnos.

Hemos esperado a que se hiciese de noche para ir al cementerio. Van Helsing andaba tan decidido que era como si hubiese estudiado el camino que debíamos seguir. Nos cruzábamos con menos gente a medida que nos alejábamos del centro de la ciudad. Ya teníamos el cementerio a la vista cuado hemos tropezado con una patrulla de policía a caballo. Tras verla desaparecer al doblar una esquina, hemos entrado en el recinto saltando el muro. Hemos abierto la puerta del panteón familiar de los Westenra con una llave que Van Helsing había obtenido no sé cómo. Al resplandor de la vela que el profesor ha encendido, las sombras, el polvo, las arañas y las flores marchitas han acentuado el efecto sórdido y deprimente del lugar. El profesor ha sacado un destornillador de su maletín y con él ha abierto el féretro de la muerta. Sentía como si alguien estuviese desnudando a la pobre Lucy en vida. Y entonces lo he visto: ¡el ataúd estaba vacío!

—¿Se convence ahora, John?

—De lo que estoy convencido es de que ella no está en el ataúd —repliqué con ganas de polémica—. Quizá alguien ha robado el cadáver...

—Muy bien. Necesitamos más pruebas para convencerle. Acompáñeme.

Ha recogido sus cosas, hemos salido del panteón y Van Helsing lo ha cerrado con llave. Fuera, hemos montado guardia entre las tumbas. Han tocado las doce; después la una, y las dos. Estaba helado y enfadado con el profesor, y conmigo mismo por haberle hecho caso. De repente, he visto una figura blanca borrosa que se dirigía hacia el panteón. Y acto seguido, un rumor de pasos y una sombra que se me acercaba. Era el profesor que traía un niño en brazos.

—Venga, comprobemos si está herido.

No lo estaba. No tenía ninguna señal en el cuello.

—¡Menos mal que hemos llegado a tiempo! —ha dicho el profesor aliviado.

Después de dejar al niño donde la policía hace la ronda, hemos esperado hasta que lo han descubierto. Hemos tenido la suerte de que no nos han visto. De ese modo, nos hemos ahorrado tener que dar explicaciones de cómo lo habíamos encontrado y qué hacíamos allí a esas horas. Ahora he de procurar dormir, porque el profesor ha insistido en que mañana al mediodía tenemos que volver al cementerio.

27 de septiembre.– Había un funeral. Eran ya pasadas las dos cuando el sacristán ha cerrado la verja del cementerio y por fin hemos podido regresar al panteón de Lucy. A la luz del día no daba tanto miedo. Pese a todo, era consciente del peligro que corríamos. Lo que hacíamos era ilegal, y probablemente también inútil. ¿Comprobar si una muerta estaba muerta? ¡Pero si encima el ataúd estaba vacío! Eso me ha puesto muy nervioso.

Van Helsing ha abierto la cripta, me ha invitado a pasar y le he seguido hasta la sepultura de Lucy. Ha vuelto a abrirla, ¡y allí estaba Lucy! Más hermosa que nunca, si es que eso es posible, con los labios más rojos y las mejillas sonrosadas. ¡Parecía más sana que el día de su muerte!

—¿Se convence, ahora? —El doctor le ha separado los labios para enseñarme sus colmillos, más afilados que antes—. Ella ha mordido a los niños.

—Esto es un truco —he protestado, con ganas de llevarle la contraria—. Quizá alguien ha devuelto el cadáver a su sitio.

—¿Y quién lo ha hecho? ¡Hace una semana que está muerta y mírela! ¿Quién en su lugar tendría tan buen aspecto? ¡Y tan poco maligno! Lo contrario de lo que ocurre a los no-muertos, quienes se han transformado en vampiros. Lo normal es que cuando duermen expresen lo que son: seres perversos. Lucy hace una doble vida. Un vampiro la mordió cuando estaba sonámbula. En aquel estado pudo sacarle mucha sangre. Ahora ella es una no-muerta que también necesita sangre para vivir.

—¿Y qué haremos?

—Matarla.

Si estaba realmente muerta, ¿por qué me produjo terror la idea de matarla?

Van Helsing ha continuado, casi con alegría, al notar que yo estaba a punto de aceptar su teoría:

—Le cortaré la cabeza, le llenaré la boca con ajos y le clavaré una estaca en el corazón.

Pero no lo haríamos enseguida, ha concluido el profesor, sino mañana. Dice que quizá necesitaremos la ayuda de Arthur más adelante. Por eso mismo, es necesario que él nos crea, y la única manera de conseguirlo es que vea a Lucy no-muerta con sus propios ojos.

Nota de Van Helsing para el Dr. Seward (no entregada)

Apreciado John, le escribo por si me ocurriera algo. Vigilaré el cementerio toda la noche, desde la puesta de sol hasta el amanecer. Pondré ajo y un crucifijo en la puerta del panteón de Lucy para que no pueda salir. Ella no me da miedo. Pero sí el que la ha convertido en una no-muerta. Él tiene el poder de encontrar la tumba de Lucy y buscar protección en ella. Su astucia es grande, como grande es su fuerza, la enorme fuerza que tienen los no-muertos. Una fuerza que adquieren de la sangre de sus víctimas, a las que hay que añadir la de nosotros cuatro, que se la dimos a la señorita Lucy. Si a este ser se le ocurre ir al cementerio, allí estaré yo...

Entonces, lea los diarios que le envío, busque al gran no-muerto y clávele una estaca en el corazón. El mundo se lo agradecerá.

DIARIO DEL DR. SEWARD

28 de septiembre.- Después de haber dormido bien, lo veo todo de forma distinta. Me pregunto si Van Helsing ha perdido el juicio en este asunto. Aunque estuviera loco, creo que gracias a su extraordinaria inteligencia sería capaz de idear una teoría tan bien tramada con tal de no dar su brazo a torcer. Me he propuesto vigilarlo de cerca.

29 de septiembre, por la mañana.- Arthur y Quincey llegaron anoche convocados por Van Helsing. Reunidos en su habitación, el profesor nos explicó cuáles eran sus planes. Pero por lo que parecía se dirigía sobre todo a Arthur, que por supuesto se enfureció al oírlos.

—¡No permitiré que entre en la tumba de Lucy! ¡Y menos que la profane, abriendo el ataúd! ¿Qué broma es esta?

Quincey intervino para pedir a su amigo que escuchara al profesor.

—Señor —siguió diciendo Van Helsing—, si la señorita Lucy está muerta, ¿qué daño podría sufrir? Pero si no lo está...

—¿Qué insinúa? —volvió a saltar Arthur, de nuevo irritado—. ¿Acaso fue enterrada con vida?

—No, viva no está, pero podría tratarse de una no-muerta. —Tras una pausa, Van Helsing dijo—: Hay misterios que los hombres hemos sido incapaces de resolver y nosotros estamos cerca de conseguirlo con uno de ellos. Para hacerlo, le pido que me permita cortarle la cabeza a Lucy.

Escandalizado por lo que acababa de oír, Arthur no dio su consentimiento al profesor, al que se quejó por torturarle de aquel modo. Fuera de sí, concluyó diciendo que tenía el deber de proteger la sepultura de Lucy, a lo que Van Helsing replicó:

—Yo también tengo un deber que cumplir. Un deber para con usted, la muerta y la humanidad: un deber que cumpliré, puede estar completamente seguro. Créame que es la empresa más dolorosa que he llevado a cabo nunca. Piénselo. Piense en las molestias que me he tomado en este asunto. Yo también di mi sangre a Lucy y la cuidé de noche y de día, antes y después de su muerte. Ahora solo le pido que venga conmigo al cementerio. Confío en que, cuando vea a la no-muerta, entenderá cuál es mi propósito.

A regañadientes, tanto Arthur como Quincey aceptaron acompañarnos.

Capítulo 16

Diario del Dr. Seward (continuación)

29 de septiembre.- Los cuatro entramos en el cementerio a medianoche saltando la tapia. La oscuridad era total. Van Helsing abría la marcha, y Arthur, que iba detrás de él, mantenía la serenidad, supongo que debido a la tensión. El profesor entró el primero en el panteón de los Westenra. Cuando enfocó con una linterna el ataúd de Lucy, se volvió hacia mí para preguntarme:

—¿Verdad que ayer el cuerpo de Lucy estaba dentro de este ataúd?

Asentí. El profesor desclavó la tapa de la caja y la deslizó hacia un lado. Arthur, aunque pálido, observaba la operación sin decir nada. Una vez que la tapa fue retirada, todos nos acercamos y miramos dentro de la caja. Nos quedamos horrorizados. ¡Estaba vacía!

Pasaron unos segundos de silencio total, hasta que Quincey acertó a decir:

—Yo he confiado en usted, pero ante una situación como esta tengo que preguntarle si ha sido usted quien la ha sacado.

—¡No, se lo juro por lo más sagrado! Ayer vine aquí después de la puesta de sol. Es la hora en que los no-muertos se ponen en movimiento y salen de sus tumbas. Pero no sucedió nada, porque puse ajos en la entrada del panteón y los no-muertos no soportan el ajo. Pero hoy los he quitado, y por eso Lucy ha podido salir. Esperemos fuera, a ver qué pasa.

¡Qué deliciosa y fresca me pareció la noche después de respirar el aire enrarecido de la cripta! Durante la espera, el semblante de Arthur reflejaba preocupación. Quincey se mostraba sereno, y yo me mantenía a la espera, dispuesto ya a aceptar cualquier cosa. Van Helsing era el único que hacía algo concreto. Mezclando una hostia consagrada y masilla obtuvo una pasta que se encargó de extender por el marco de la puerta de la cripta.

—Así sello la tumba. La no-muerta no podrá entrar —informó.

Mientras esperábamos cada uno en el lugar que el profesor nos había asignado, yo me sentía mal por Arthur. En mis anteriores incursiones al cementerio, no había estado tan inquieto como esa noche. Entonces, de repente, Van Helsing nos señaló una figura blanca que venía por la avenida de tejos. Era una mujer que llevaba en brazos un bulto oscuro. No pudimos verle la cara porque andaba inclinada sobre lo que distinguimos era un niño rubio. La figura siguió avanzando hasta que la tuvimos tan cerca para verla bien. Arthur soltó un grito de sorpresa. A mí se me heló la sangre en las venas. Era Lucy, sin duda, pero estaba muy cambiada: tenía las fracciones duras y su mirada era cruel.

Van Helsing se dirigió a la cripta y, a una indicación suya, los demás le seguimos. Nos colocamos en fila ante la puerta. El profesor iluminó con una linterna el rostro de Lucy. Vimos sus labios rojos de sangre fresca, que le resbalaba por el mentón y le manchaba la mortaja. Menos mal que Arthur estaba a mi lado y pude sujetarlo por el brazo cuando se desplomaba debido a la impresión.

Al vernos, aquel ser retrocedió soltando un grito de rabia. Nos miró uno a uno, con una expresión fría y desafiante que transformó mi amor por ella en un odio profundo. En ese momento, no habría dudado en matarla allí mismo. Arrojó el niño al suelo con indiferencia, dejándolo allí tendido, gimiendo. Entonces, la expresión de Lucy cambió para transformarse en un ser dulce y seductor:

—Ven conmigo, Arthur, amor mío... ¡Quiero abrazarte muy fuerte!

Su suave voz era como un imán. Arthur parecía embrujado. Él se apartó las manos de la cara y abrió los

brazos, esperándola. Pero, cuando Lucy estaba a punto de abrazarlo, Van Helsing intervino: de un salto se colocó al lado de la pareja y puso un crucifijo de oro entre los dos.

Ella retrocedió con la cara contraída de rabia. A continuación, salió disparada hacia la puerta del panteón y por poco no tira al profesor al suelo al pasar junto a él. Allí, la trampa preparada por Van Helsing hizo efecto: Lucy se detuvo como frenada por una fuerza irresistible. Se giró hacia nosotros. ¡Qué expresión! Era un demonio horroroso y lleno de maldad. Si un rostro era capaz de expresar el deseo de matar allí estaba, frente a nosotros.

—¿Sigo adelante? —le preguntó Van Helsing a Arthur.

—¡Haga lo que quiera! No puede existir nada peor que esto.

En ese instante, Van Helsing empezó a quitar la pasta que había extendido en el marco de la puerta. Acto seguido, el cuerpo de aquel ser se filtró por un resquicio de la puerta delgado como el filo de un cuchillo y desapareció en el interior del panteón. Entonces, Van Helsing volvió a sellar con la pasta la puerta y cogió al niño.

—Vámonos. Hoy ya no podemos hacer nada más —anunció—. Volveremos mañana al mediodía.

Dejamos al niño en un lugar seguro donde la policía pudiese encontrarlo fácilmente y nos fuimos.

29 de septiembre, por la noche.- Esta mañana, todos íbamos vestidos de negro, como si nos hubiésemos puesto de acuerdo. Que Arthur fuera de luto era lógico, pero en los demás ha sido algo instintivo. Como la otra vez, hemos aprovechado un entierro para entrar en el cementerio sin llamar la atención. Nos ocultamos hasta que los asistentes a la ceremonia se marcharon. Después de que el sacristán cerrase la verja de entrada, seguimos a Van Helsing hasta el panteón de los Westenra para encerrarnos dentro de él y abrir de nuevo la tumba de Lucy.

—¿Se trata realmente del cuerpo de Lucy? —preguntó Arthur al contemplar su cadáver—. ¿O es un diablo que ha tomado su forma?

—Es su cuerpo y al mismo tiempo no lo es. Tenga paciencia: muy pronto la verá tal como era y tal como es.

Era como una pesadilla: aquella Lucy carnal pero sin alma, manchada de sangre, con esos colmillos... No, decididamente no. Yo ya no la quería.

Van Helsing sacó de la bolsa que llevaba distintas herramientas, entre ellas un martillo y una estaca con la punta muy afilada. Cuando lo tuvo todo preparado, nos explicó:

—Antes de empezar, quiero que sepan algo. Los no-muertos están malditos a causa de su inmortalidad. Se alimentan de sangre, y quienes son mordidos por ellos se convierten a su vez en no-muertos por los siglos de los siglos. De este modo, se van multiplicando. Es lo que le habría pasado a usted, Arthur, si hubiese besado a

Lucy antes de morir, o la hubiese abrazado anoche. Por eso se lo impedí. Y es también lo que les pasaría a los pobres niños si ella, la «hermosa dama», hubiera continuado chupándoles la sangre. Pero nosotros no se lo permitiremos. Si ella muere, los niños se curarán y seguirán jugando sin saber el peligro que han corrido. Y además, cuando esta no-muerta descanse como una muerta de verdad, el alma de Lucy volverá a ser libre. ¿No les parece eso una auténtica bendición para Lucy?

Entonces, Van Helsing le propuso a Arthur que la matara, argumentando que era él quien más la amaba:

—La propia Lucy así lo habría querido.

Siguió animando a Arthur diciéndole que todo sería muy rápido, y que además allí estaban sus amigos. El joven acabó por aceptar. Van Helsing le dio instrucciones sobre lo que debía hacer. Con decisión, Arthur cogió la estaca con la mano izquierda y la colocó encima del corazón de Lucy. Con la mano derecha, golpeó el martillo con todas sus fuerzas.

Ese ser lanzó un grito horrendo, y su cuerpo se sacudió salvajemente mientras daba dentelladas con sus colmillos. Sin vacilar, Arthur levantó el brazo una y otra vez para descargar nuevos y fuertes golpes que fueron hincando más y más la estaca en el corazón de Lucy, del que la sangre manaba a borbotones. Poco a poco, las contorsiones comenzaron a disminuir hasta que el cuerpo quedó completamente inmóvil. Era el final. Ahora sí.

Arthur estaba agotado, dejó caer las herramientas y se sentó en el suelo. Estábamos tan pendientes de él que por unos instantes dejamos de mirar el ataúd. Cuando lo volvimos a mirar, soltamos un murmullo de asombro que impulsó a Arthur a acercarse a él. Algo extraordinario había ocurrido: quien estaba dentro era la auténtica Lucy. Dulce y pura. La Lucy que todos habíamos conocido y querido.

Llorando, Arthur la besó. Ahora ya podía hacerlo sin correr ningún peligro. Luego, hicimos salir a Arthur y a Quincey del panteón. El profesor y yo nos encargamos de cortar la cabeza de Lucy y llenarle la boca de ajos.

Fuera, el sol brillaba. Pero nuestra misión no había terminado. Los tres prometimos a Van Helsing que le ayudaríamos a descubrir al autor de tanto sufrimiento y a acabar con él.

Capítulo 17

Diario del Dr. Seward (continuación)

29 de septiembre.–Van Helsing tenía que ir a Ámsterdam por un par de días. Por este motivo me ha pedido que fuera a la estación a buscar a Mina Harker, la amiga de Lucy, y que la alojara en mi casa. Ella y su marido nos ayudarán en nuestra misión. Antes de irse, el profesor me ha dado el diario de Jonathan Harker y el de su esposa. Quería que los leyera con atención para ponerme al corriente de algunos hechos de gran importancia y así poder analizarlos a su regreso.

La multitud se dispersaba cuando he llegado a la estación y temía no encontrarme con mi invitada.

—¿El doctor Seward? —me ha preguntado una joven elegante y guapa—. ¡Le he reconocido!

Y se ha ruborizado. ¡Era encantadora!

He cogido su equipaje y nos hemos dirigido al metro. Ella ya sabía que yo vivía en un manicomio; pero al llegar al hospital, se ha estremecido. Mientras espero que baje a mi despacho, grabo esto en mi fonógrafo y me dispongo a leer su diario... ¡Aquí viene!

DIARIO DE MINA HARKER

29 de septiembre.- Después de instalarme, he ido a buscar al doctor Seward a su despacho. Me ha parecido que hablaba con alguien, pero me equivocaba: hablaba con el fonógrafo. Le he preguntado si era su diario y él me ha contestado algo turbado:

—Sí. Aquí lo tengo. —Y ha puesto una mano sobre el aparato.

Cuando le he preguntado si podía escuchar el relato de la muerte de Lucy, se ha negado de forma rotunda.

—¡De ninguna manera!

No he conseguido que cediera por más que le he insistido. Sin embargo, ha improvisado una excusa: que no sabía cómo encontrar partes concretas en la grabación. Eso me ha dado una idea:

—En ese caso, podría pasarle su diario a máquina. De ese modo, le resultaría más sencillo buscar algo en él —le he propuesto

—No. Definitivamente no. ¡Por nada del mundo le contaré la forma horrible en que su amiga murió.

Le he dicho que cuando leyera mi diario me conocería mejor y confiaría en mí. Se ha quedado pensativo y enseguida ha accedido a que le transcriba el suyo. He insistido porque intuyo que la muerte de Lucy está relacionada con el terrible enemigo de Jonathan, solo por eso. Cuando volvamos a reunirnos a la hora de la cena, cada uno habrá leído el diario del otro.

Diario del Dr. Seward

29 de septiembre.- Cuando nos hemos vuelto a ver para la cena, la señora Harker tenía los ojos llorosos. Le he dicho:

—Siento mucho haberle causado dolor.

—Oh, no se preocupe. ¡Lamento más saber lo que usted ha sufrido! Oírle por este aparato ha sido como oír los latidos de su corazón y sentir su angustia. ¡Nadie más debe oírlo!

Y entonces me ha enseñado mi propio diario pasado a máquina. Dice que de esta forma todos podremos compartir la valiosa información que contiene. ¡Es necesario para luchar contra el monstruo! Me ha anunciado que su marido llegará mañana.

Diario de Mina Harker

29 de septiembre.- Sentada ante una mesa en el despacho del doctor Seward, he tenido que hacer grandes esfuerzos para leer hasta el final el horrible relato de la segunda muerte de Lucy. Si no hubiese leído antes el diario de Jonathan, no me lo habría creído. ¡Es todo tan extraño! Mi único consuelo es saber que ahora ella descansa en paz.

No puedo dormir. ¿Cómo podría hacerlo? Es importante que tengamos todo el material de que disponemos ordenado cronológicamente. Hay que tenerlo preparado para cuando llegue el profesor Van Helsing y empezar cuanto antes la búsqueda del malvado conde. Me he puesto manos a la obra.

Diario del Dr. Seward

30 de septiembre.- El marido de Mina estaba en Whitby buscando información. Llegó ayer, y al fin lo he conocido. Es un hombre inteligente y enérgico, y al mismo tiempo discreto y formal.

Él y su mujer han ordenado cronológicamente sus diarios y el mío, además de toda la información que tenemos, de periódicos y documentos sobre el traslado del conde a Londres que Harker ha traído. ¿Cómo podía imaginarme que el conde viviera justo en la casa de al lado?

Otra cosa más: también sabemos que Renfield está relacionado con Drácula. ¡Este es el «amo» de quien hablaba! ¡Por tanto, todos los ataques que sufría mi paciente tenían que ver con el monstruo! He ido a verlo y ahora está tranquilo, quizá demasiado tranquilo. ¿Acaso está convencido de que Drácula ganará? En previsión de lo que pueda ocurrir, le he pedido al celador que tenga preparada la camisa de fuerza.

Diario de Jonathan Harker

29 de septiembre, en el tren hacia Londres.- La visita a Whitby ha sido un éxito. El abogado con el que me he entrevistado me ha dejado consultar sus documentos. En concreto, he de investigar el traslado a Londres de las cincuenta cajas con tierra. Todo el mundo recuerda la entrada del barco en el puerto, pero nadie ha podido añadir nada sobre las «cincuenta cajas con tierra común».

30 *de septiembre.*- Ya tengo la confirmación: trajeron todas las cajas de Whitby a Carfax. Los dos transportistas que se ocuparon de trasladarlas me han contado que la capilla donde las depositaron era un sitio horrible. Y han añadido:

—La casa esa da escalofríos, jefe. Hace siglos que nadie ha entrado en ella. Hay tanto polvo que uno podría dormir en el suelo sin que le dolieran los huesos.

Las cincuenta cajas llegaron a Carfax, de acuerdo, pero si hago caso de lo que dice el doctor Seward en su diario, luego se trasladaron algunas a otra parte.

Diario de Mina Harker

30 *de septiembre.*- Ver lo animado que iba Jonathan a Whitby no fue suficiente para tranquilizarme. Temía por él, por lo que podía ocurrirle al enfrentarse con este terrible asunto. En cambio, se ha confirmado lo que Van Helsing decía: Jonathan es tan valiente que en circunstancias adversas se supera.

Arthur y Quincey han llegado al manicomio antes de lo previsto. En ese momento estaba sola y he salido a recibirles. Como ignoraban que yo estaba al corriente

de casi todo lo que tiene que ver con el caso, no sabían qué decir. Cuando se han puesto a hablar de otros asuntos, he decidido decirles la verdad, por el bien de nuestro proyecto común. Les he entregado una copia mecanografiada de los documentos y diarios. Arthur ha empezado a agradecer el trabajo que estábamos haciendo, pero no ha podido continuar. Su voz se ha roto y Quincey le ha apretado el brazo en un gesto cariñoso antes de abandonar la habitación. Cuando nos hemos quedado solos, Arthur se ha sincerado conmigo. Ha sollozado con la cabeza sobre mi hombro, liberando el dolor acumulado en todos los días pasados. Más calmado ya, me ha preguntado si quería ser una hermana para él. Le he dicho que sí, y le he consolado tanto como he podido.

Pasado un rato ha vuelto Quincey. Es un hombre fuerte, activo y sincero.

—Estás consolando a Arthur, ¿no es así, chiquilla?

¡«Chiquilla»! Así es como llamaba a Lucy. Este detalle me ha conmovido.

Capítulo 18

Diario del Dr. Seward

30 de septiembre.- Arthur y Quincey han llegado y ya han leído las transcripciones de los diarios. Por su parte, Mina Harker me ha pedido ir a ver a Renfield y la he acompañado a la habitación del paciente. He entrado el primero para advertir a Renfield que una señora quería verle, y este me ha rogado que antes de que ella entrara le dejase arreglar la habitación. Su forma de poner orden ha consistido en comerse las moscas y arañas de las cajas sin que yo tuviera tiempo de impedírselo.

Se ha sentado al borde de la cama, con la cabeza baja pero vigilante. Por un momento he temido que fuera a atacarla y me he situado cerca de él por si me veía obligado a intervenir. La señora Harker ha entrado

sonriendo y le ha tendido la mano con naturalidad. Renfield la ha mirado atentamente antes de decirle:

—Usted no es la chica con quien el doctor quería casarse, ¿verdad? No puede ser usted, porque ella ha muerto.

—¡Claro que no! Ya estoy casada. Mi marido y yo hemos venido a pasar unos días con el doctor Seward.

—¡No se queden! ¡Váyanse! —le ha respondido alarmado.

Al preguntarle por qué razón, ha cambiado de tema:

—Soy un caso típico de alguien que cree en cosas raras. Creía que la vida podría ser eterna si comía seres vivos, por simples que estos fuesen. Estaba tan convencido que llegué incluso a atacar al doctor Seward, porque quería alimentarme con su sangre. Ya lo dice la Biblia: «Porque la sangre es vida».

Me sentía tan perplejo que no sabía qué decir. Me costaba creer que le hubiera visto comerse a los insectos tan solo hacía unos minutos. Antes de despedirnos de él, Renfield le ha dicho a Mina:

—Adiós. Rezo porque no tenga que volver a ver por aquí su bonita cara.

Podría parecer perfectamente que de repente hubiera recuperado la razón. Pero ¿sería cierto?

Después he ido a recoger a Van Helsing a la estación. Nada más verme, ha corrido hacia mí. Le he notado impaciente, y enseguida me ha contado que había arreglado sus asuntos para poder dedicarse por completo a

nuestra misión. Se ha puesto muy contento cuando le he dicho que los Harker y Quincey estaban en mi casa.

Le ha sorprendido que Drácula esté instalado al lado del manicomio. Por el camino, le he hablado del trabajo que ha hecho Mina ordenando los diarios y todo el material de que disponemos.

—¡Ah, esta Mina, qué inteligencia demuestra! Además es muy valiente, pero tenemos que protegerla de todo este asunto. A partir de ahora, habremos de dejarla al margen.

DIARIO DE MINA HARKER

30 de septiembre.- Después de cenar nos hemos reunido en el despacho del doctor. Van Helsing me ha pedido que tomase nota de todo. De entrada, nos ha contado la historia del conde Drácula:

—Los vampiros existen. Nosotros mismos tenemos pruebas. Los seres como Drácula no mueren como las abejas. Al contrario, después de chupar la sangre se vuelven más fuertes. Y al ser más fuertes, aún tiene más poder para hacer el mal. El conde tiene la fuerza de veinte hombres, y su inteligencia se ha desarrollado más y más con el paso de los siglos. Es capaz de adivinar cosas sirviéndose de los muertos, y todos los muertos sobre los que tiene influencia le obedecen. Tiene el poder de mandar sobre la tempestad, la bruma, el trueno.

Le obedecen las ratas, los murciélagos, los lobos, los zorros... Es capaz de convertirse en todos estos animales, y también en polvo, en niebla. También puede crecer, hacerse más pequeño o incluso volverse invisible, entrar y salir de cualquier lugar, ver en la oscuridad...

»Así pues, ¿por dónde empezamos la lucha? ¿Cómo descubriremos donde está y de qué forma acabaremos con él? Nos jugamos más que la vida o la muerte. Quien cae en sus manos se convierte en alguien como él, una horrible criatura de la noche, sin conciencia, sin corazón. En alguien capaz de alimentarse de los seres a quienes ama. Considero mi deber derrotarlo. Pero soy ya viejo. Son ustedes, los jóvenes, quienes tienen aún mucha vida por delante. ¿Qué deciden?

Mientras el profesor hablaba, Jonathan me ha cogido de la mano. Era la mano fuerte de un hombre valeroso, una mano expresiva que me ha llenado de confianza. Y cuando Van Helsing ha guardado silencio, todos nos hemos comprometido con la lucha, y hemos sellado un pacto posando nuestras manos sobre una cruz que había en el centro de la mesa. Aunque he notado que la sangre se me helaba, no me he echado atrás. Contamos con unas cuantas ventajas: la ciencia, estar juntos en esta causa, ser libres y poder actuar tanto de día como de noche.

—Para empezar —ha proseguido Van Helsing—, debemos tener claros los puntos débiles del vampiro. En primer lugar, solo puede alimentarse de sangre:

durante las semanas que estuvo con él, Jonathan nunca lo vio comer. Y hay más cosas: no es libre, tiene que obedecer algunas leyes de la naturaleza. No puede ir donde quiere: solo puede entrar en los sitios si alguien le ha invitado la primera vez. Al igual que les ocurre a las potencias malignas, durante el día no tiene poder. Solo le es posible cambiar de forma a la salida o a la puesta de sol. Si está lejos de su casa, únicamente puede descansar en un ataúd que contenga tierra de su país. Y no tolera los ajos, ni los crucifijos, ni los rosales silvestres... Una bala bendecida le mata bien muerto, y ya sabemos que si se le clava se le devuelve la paz, así como cortarle la cabeza le da el descanso. De esto hemos sido testigos.

»El conde Drácula pertenecía a una familia noble. Él mismo fue un guerrero valiente que destacó en la lucha contra los turcos. Tuvo fama de hombre inteligente y astuto. Inteligencia, astucia y valor que se llevó a la tumba, cualidades contra las que hemos de enfrentarnos en el presente.

»Ahora hemos de decidir qué vamos a hacer. Sabemos que llegaron a Whitby cincuenta cajas con tierra sagrada de su país. También sabemos que algunas de estas cajas han desaparecido de Carfax. Lo primero que propongo hacer es averiguar dónde se encuentran.

Justo en ese instante ha sonado un disparo de pistola.

—Siento haberlos asustado —se ha excusado Quincey con un revólver humeante en la mano—. ¡Es que había un murciélago en la ventana!

—¿Le ha dado? —ha preguntado Van Helsing.

—Supongo que no, porque ha marchado volando hacia el bosque.

—Hemos de localizar las cajas con tierra y esterilizarlas con ajo —ha proseguido Van Helsing—. O, en todo caso, esterilizar la caja en la que duerme el conde. Así podremos descubrirlo en su forma humana, entre el mediodía y la puesta de sol, y matarlo.

—Pues vayamos a Carfax enseguida —ha dicho Quicey—. El tiempo corre a su favor. Además, tal vez salvemos a alguien de caer bajo su poder si actuamos con rapidez.

No me han dejado ir con ellos. Sé que lo hacen para protegerme y no he tenido más remedio que conformarme.

Diario del Dr. Seward

1 de octubre, antes del alba. - Ayer, antes de salir del manicomio, Renfield pidió hablar conmigo urgentemente. Los demás se mostraron muy interesados en acompañarme y fuimos todos juntos a verle.

Lo encontré muy excitado, pero más juicioso que otras veces. Lo que quería era que lo dejara marchar esa misma noche, de inmediato. Oyéndole hablar con aquella elocuencia, por un momento llegué a pensar que había recobrado la razón y nada malo había en dejarlo ir.

Sin embargo, decidí esperar, porque sé que este paciente experimenta cambios repentinos y no puedes fiarte de él. Cuando le dije que ya hablaríamos por la mañana, me miró, y luego se volvió hacia los demás como buscando su complicidad. Al no encontrarla, empezó a decir que era importante que saliera por el bien de otras personas, pero sin explicar el porqué. Me suplicó por el bien de su alma y repitió que hablaba en serio, que no era un ataque de locura. Cuando salíamos de la habitación después de que le dijera que ya estaba bien y que debía descansar, me dijo, abatido:

—Después no me diga que no le avisé.

Capítulo 19

Diario de Jonathan Harker

1 de octubre, de madrugada.- Aunque dejábamos a Mina sola, me fui tranquilo porque quedaba lejos del peligro. Diría que todos estábamos un poco violentos al salir de la habitación de Renfield. Tanto Quincey como Van Helsing estuvieron de acuerdo en que el pobre hombre habría merecido una oportunidad y se le tenía que haber dejado en libertad. A lo que el doctor Seward replicó:

—Comparto su opinión. Ahora bien, si como parece, ese hombre está implicado de alguna manera en los actos criminales de Drácula, temo que cometería una equivocación si le dejo ir. Recuerden que ha llamado al conde «amo y señor».

Dicho esto, saltamos la tapia y nos dirigimos al edificio vecino protegidos por la sombra de los árboles.

Antes de entrar en la casa del conde, Van Helsing nos había advertido:

—Necesitaremos armas muy diferentes. Recuerden que nuestro enemigo no es solo una amenaza espiritual. Ya saben que tiene una fuerza descomunal. En una pelea, tendríamos las de perder. Por eso, intentaremos que no llegue a tocarnos.

A cada uno nos entregó un lote parecido, que consistía en: un crucifijo de plata, un colgante de flores de ajo marchitas, una pistola, un cuchillo, una linterna y un trozo de hostia consagrada.

Más tarde, el doctor Seward forzó la puerta de la casa con una ganzúa. Las herrumbrosas bisagras gimieron y las hojas de la puerta se abrieron lentamente. La impresión que me causó el interior se parecía mucho a la que describe el doctor en su diario; más que una casa, aquello tenía el aspecto de un panteón. El profesor entró el primero. Comprobamos que la puerta podía abrirse desde dentro antes de cerrarla detrás de nosotros, y empezamos la inspección. No encontramos nada, aparte de polvo y telarañas. Sin embargo, ¿por qué tenía todo el tiempo la sensación de que había alguien más con nosotros allí dentro?

—Ya que usted ha hecho un plano del lugar. Llévenos a la capilla, Jonathan —me pidió Van Helsing.

No recordaba muy bien dónde estaba, pero conseguimos encontrarla. El sitio desprendía una peste a tierra, a agua pantanosa estancada, a aire viciado,

a materia corrupta. Nos entraron unas tremendas ganas de salir corriendo, pero era necesario investigar el lugar. Y lo hicimos movidos por la responsabilidad que nos había llevado hasta allí.

Había tanto polvo como en el resto de la casa. Con una diferencia: aquí estaba lleno de pisadas. Las de los hombres que habían traído las cajas con tierra que aparecieron ante nosotros. Las contamos: había veintinueve ¿Qué habría sido de las veintiuna restantes?

Desde hacía rato veíamos unos puntos que brillaban en la oscuridad, o eso nos parecía. Dirigimos nuestras linternas en aquella dirección, pero no vimos a nadie. Pensé que el miedo nos había jugado una mala pasada. Pero un poco más tarde, Quincey salió precipitadamente de la zona que estaba inspeccionando y los demás miramos hacia allí. Retrocedimos llenos de asco. ¡Eran ratas!

Había centeneras de ellas, y su número aumentaba por momentos. ¡Nos estaban invadiendo! Por suerte, Arthur tenía un silbato. Lo tocó y de inmediato aparecieron tres perros que se abalanzaron sobre las ratas. Como por arte de magia, las ratas huyeron. Y nosotros también abandonamos la capilla tan rápido como pudimos.

Pese al miedo que habíamos pasado, tuvimos tiempo de comprobar que el polvo junto a la puerta por la que salimos huyendo estaba más pisoteado que en otras partes. Sin duda, las cajas que faltaban habían salido por allí. La serenidad que se apoderó de los perros, una vez que desaparecieron las ratas, nos convenció de que el conde Drácula no estaba en la capilla.

Clareaba cuando acabamos nuestro registro y decidimos irnos de Carfax. En la valoración que hizo Van Hesing de esta salida nocturna, destacaba que no habíamos tenido ningún percance, y también que habíamos espantado al conde. Por todo ello nos animaba a continuar con la misión.

En nuestra habitación, Mina dormía profundamente. Parecía un poco más pálida de lo habitual. ¡Suerte que no había venido con nosotros! Voy a acostarme.

Por la mañana.- Nos hemos despertado tarde; es natural, si uno piensa en todo lo que hicimos ayer. Incluso Mina estaba agotada; la he tenido que llamar varias veces antes de que abriera los ojos. Como se ha quejado de que estaba cansada, la he dejado dormir un rato más.

Diario del Dr. Seward

1 de octubre.- Esta mañana Van Helsing ha entrado en mi habitación muy contento y me ha dicho que quería acompañarme cuando visitase a Renfield. Como tenía trabajo atrasado y no quería que tuviera que esperarme, he dado instrucciones para que el profesor pudiera ir solo. Poco después, Van Helsing se ha presentado en mi despacho. Por lo que me ha contado, no ha sido muy

bien recibido. Mi paciente no se ha dignado dirigirle la palabra, excepto cuando el profesor le ha preguntado si le conocía. Entonces, con ese extraño humor variable, el enfermo le ha soltado:

—¡Muy bien que lo conozco! Condenados holandeses que no entienden nada en absoluto.

Diario de Mina Harker

1 de octubre.– ¡Qué raro me resulta estar al margen! Jonathan no me ha contado nada de su expedición de ayer por la noche. Ya sé que lo hace para no preocuparme. Pero, a pesar de eso, tengo ganas de llorar. No sé, hoy estoy triste y deprimida. Me siento culpable por lo que le sucedió a Lucy. Si yo no hubiera ido a Whitby y si ella no me hubiese acompañado por las tardes al cementerio, no habría ido sonámbula allí y ese monstruo no la habría matado. Cada vez que lo pienso... Me pasaría todo el día llorando, pero he de procurar que Jonathan no lo note. No quiero que se preocupe por mí; él ya ha sufrido bastante.

Quizá anoche no dormí bien. Cuando los demás se marcharon, me acosté sin tener sueño. Estuve dándole vueltas a esta historia mucho rato. No recuerdo bien cuándo ni cómo me dormí. Oí unos ladridos, y también a alguien que rezaba; sin duda, esa voz venía de la habitación de Renfield, que se encuentra debajo de la nuestra. De repente, se hizo un silencio tan profundo que me sobresalté. Me acerqué hasta la ventana y vi una densa niebla blanca que se arrastraba por la hierba. A medida que se acercaba a la casa, Renfield gritaba más fuerte. No entendía lo que decía, pero era como si suplicase algo a alguien. Luego oí como un forcejeo y supuse que los celadores trataban de hacerlo callar. Estaba tan asustada que volví a meterme en la cama y me cubrí por completo con las mantas.

Cuando logré dormirme tuve una pesadilla. En ella me veía acostada en mi habitación. Estaba tan cansada que ni podía levantarme para comprobar si había cerrado la ventana. De pronto, sentía que me faltaba el aire y me destapaba. Entonces, todo se me hacía borroso, y la luz de la lámpara de gas que había dejado encendida para Jonathan se convertía en un punto rojo en medio de la niebla. Porque toda la habitación estaba llena de una niebla que era cada vez más densa y que formaba una especie de columna de vapor con el punto rojo en su parte superior. En esos momentos recordaba lo que me había contado Lucy sobre los carbones encendidos en el acantilado, y Jonathan sobre cómo había visto aparecer a las espantosas mujeres del castillo. Y eso me daba tanto miedo que perdía el conocimiento en el momento en que una cara pálida se inclinaba sobre mí. Es todo lo que recuerdo. No diré nada, ni a Jonathan ni a mis amigos, porque no quiero que se preocupen por mí y se distraigan de nuestra misión. ¡Qué cansada me he levantado!

2 de octubre.– Hoy he vuelto a levantarme muy cansada. No me encuentro bien, me siento triste y débil. No consigo leer y me he pasado el día adormilada. Esta tarde, Renfield pidió poder verme. Al despedirnos, me ha besado la mano y ha dicho: «¡Que Dios la bendiga!». ¡Pobre hombre! Vuelvo a tener ganas de llorar... Aunque intento que no me vean rara, creo que se me acabará notando. El doctor Seward es muy atento, me ha recomendado que me acueste y me ha dado una pastilla para dormir mejor. Ahora que lo pienso, no sé si el hecho de que no pueda despertarme a causa del somnífero ha sido una buena idea. Estoy preocupada.

Capítulo 20

Diario de Jonathan Harker

1 de octubre, por la noche.– He pasado todo el día fuera, investigando. Me he entrevistado con los transportistas de las cajas. Encontrarlos resultó más fácil de lo que suponía, porque cajas llenas de tierra es una carga poco frecuente, y además polvorienta. He descubierto que el conde Drácula tiene este tipo de cajas repartidas por Londres: en el norte, en el sur y en el este de la ciudad. Ha sido un día provechoso. Mañana seguiré esta pista.

Mina duerme como un tronco y no quiero despertarla. La noto algo más pálida de lo habitual, y tiene los ojos hinchados de haber llorado. Debe de estar disgustada con nosotros por mantenerla al margen, pero estoy convencido de que es la mejor decisión para ella.

2 de octubre.– Una jornada agotadora. De buena mañana recibí una nota con una dirección de Londres. Me costó descifrarla, pero por fin conseguí hablar con la persona que iba a facilitarme la información que buscaba. Al principio no creí que me sirviera de mucho dada su escasa memoria: no recordaba el número de cajas, ni la dirección a la que fueron llevadas, ni el día del transporte... De lo único que parecía estar seguro era de que el encargado del transporte había sido un tal Bloxam. Tampoco fue fácil dar con este hombre. Lo conseguí ya pasadas las doce. Transportó nueve cajas hasta una casa de Picadilly, en pleno centro de Londres. Al parecer, la casa es la más vieja y sucia de la calle. Cuando le pregunté cómo consiguió entrar, me dijo:

—Un hombre me estaba esperando, el mismo que me había ayudado a cargar las cajas en la casa de Carfax. ¡Era el tío más fuerte que he visto en mi vida! Y eso que era un viejo alto y delgado, de mirada enfermiza... Cogía las cajas como si fueran paquetes de té.

Me dijo que hicieron dos viajes, que las cajas se quedaron en el vestíbulo de la casa de Picadilly y que esta es muy grande y tiene la fachada de piedra, un arco y una escalinata que llega hasta la puerta de entrada. Detalles suficientes para poder encontrarla, como así ha sido. La casa tiene todo el aspecto de haber permanecido deshabitada durante mucho tiempo. He dado una vuelta por los alrededores a ver si me enteraba de algo más. En una tienda recordaban el nombre de la agencia que se había encargado de vender la casa. He buscado su dirección y allí he ido. Me ha atendido un caballero muy amable, pero también muy reservado. No ha querido revelar nada hasta que me he presentado como colega de profesión. He dicho que venía en representación de Arthur Holmwood. Eso ha bastado para que me asegurase que lo consultaría a sus superiores y que esa misma tarde enviaría a milord la información solicitada.

Después de cenar, he acompañado a Mina a nuestra habitación. Es su última noche aquí: mañana se va a Exeter, a nuestra casa. Está decidido; no tiene sentido que permanezca más tiempo aquí, tan cerca del peligro. Está nerviosa y cansada. Pobrecita, me ha abrazado y no quería que me fuera. Pero la he dejado sola en la cama y he bajado a hablar con los demás.

Estaban reunidos en el despacho, ante la chimenea. Como había escrito en mi diario todo lo ocurrido durante el día, me he limitado a leerlo en voz alta. Todos sospechamos lo mismo: el plan de Drácula consiste en trasladar su madriguera a Piccadilly. No tenemos más remedio que entrar en la casa y confiar en que las cajas que faltan estén dentro. Ahora se trata de saber cómo lo lograremos. ¡Uf, qué cansado estoy! Voy a acostarme.

Diario del Dr. Seward

1 de octubre.– He ido a ver a Renfield. Me tiene desconcertado con sus continuos cambios de humor. Hoy se ha mostrado muy educado y hablador. Cuando le he preguntado por las moscas, ha respondido que sus alas eran como las almas.

—Entonces, ¿quiere almas? —le he preguntado.

—Las almas no me interesan. ¡Solo quiero vida! Pero eso ya no me preocupa. Tengo toda la vida que quiero.

Esta afirmación me ha desorientado y le he animado a seguir hablando.

—No quiero almas. ¿Para qué iba a quererlas si no podría comérmelas ni... —En este punto se ha callado de golpe. Tras una pausa, ha proseguido—: La vida, ¿qué es en definitiva? Cuando uno tiene lo que necesita, ¿qué más quiere?

Luego se ha refugiado en el silencio. Durante un rato he intentado hacerlo hablar, pero ha sido inútil y he terminado por dejarlo correr.

Más tarde me ha mandado llamar. Cuando he entrado, lo he encontrado sentado en medio de la habitación. Inmediatamente me ha preguntado qué pensaba de las almas.

—¿Qué piensa usted? —le he preguntado a mi vez.

Su respuesta ha sido tajante: no quiere almas, pero sí vida. Luego nos hemos enredado en un diálogo absurdo que le ha llevado a ponerse agresivo. Sin embargo, cuando ya pensaba que iba tener otro ataque homicida, se ha calmado repentinamente y ha terminado por disculparse. Ha sido porque temía que le pusieran la camisa de fuerza.

—Si estoy atado, no puedo pensar—ha sido su argumento.

Me ha parecido que lo prudente era no molestarlo más. Realmente, este hombre es un caso muy especial. Por ejemplo, varias veces ha evitado pronunciar la palabra «beber», y no teme la falta de vida en el futuro. ¿Por qué? ¡Está muy claro! ¡Porque el conde ha estado con él! Estoy seguro que algo terrible están tramando.

Más tarde.- Después de que le he puesto al corriente de mi entrevista con Renfield, Van Helsing ha querido verlo. La visita ha resultado un total fracaso. Mi paciente se ha pasado todo el tiempo canturreando.

Arthur ha recibido una carta de la agencia inmobiliaria. En ella confirman que la casa de Piccadilly ha sido comprada por un noble extranjero. Esperamos que sea una buena pista.

2 de octubre.- Anoche dejé a un enfermero vigilando la puerta de Renfield, con instrucciones para que me avisase si veía algo extraño. Después de comentar con los demás los resultados de nuestras pesquisas del día, he pasado por la habitación de Renfield; a través de la mirilla he visto que dormía profundamente.

Esta mañana, el enfermero me ha informado de que el paciente empezó a rezar pasada la medianoche. Era todo lo que podía decir. He insistido, porque no podía creer que no hubiera ocurrido nada más. El hombre ha terminado por confesar que había echado unas cabezaditas. ¿En quién puedo confiar?

Arthur y Quincey han ido a comprar caballos, por si los necesitamos. Por su parte, Van Helsing ha ido a la biblioteca. Quiere estudiar unos libros de medicina antiguos con los que aprender conjuros, remedios... Asegura que pueden servirnos, porque en ellos se encuentran cosas que la medicina actual, tan científica, rechaza. A veces pienso que todos hemos perdido la cabeza.

Nos hemos reunido de nuevo. Ahora sí que estamos sobre la pista del conde, o eso parece. Incluso me atrevería a afirmar que los últimos cambios de humor de

Renfield tienen algo que ver con lo que está por venir. Como si intuyera su fin.

¡Acaban de decirme que Renfield ha sufrido un accidente! Lo han encontrado inconsciente en el suelo, en medio de un charco de sangre.

Capítulo 21

Diario del Dr. Seward

3 de octubre.– Renfield estaba tendido sobre su lado izquierdo. Tenía heridas muy graves, sobre todo en la cabeza. Además, como comentó el celador, se había partido la columna y había quedado paralítico de un lado. ¿Cómo podía haberse hecho las dos cosas a la vez, lo de la columna y lo de la cara? No me lo explico. Mandé al celador a por Van Helsing.

El profesor llegó poco después, en bata y zapatillas, y examinó a Renfield. Tras hacer salir al celador, me dijo que había que abrirle el cráneo y fue a buscar su instrumental. La respiración del herido era ansiosa e irregular. De vez en cuando parecía que iba a decir algo. Abría los ojos, separaba los labios, pero inmediatamente volvía a caer en un agitado sopor. Esta situación se

repitió hasta que todo indicaba que podía morir en cualquier momento. Entonces, Van Helsing empezó a operar.

Entretanto, llamaron a la puerta. Eran Arthur y Quincey, a los que habían despertado las voces del celador. Todos estábamos intranquilos. Si aquel hombre moría sin hablar, podríamos fracasar en nuestra misión. Su testimonio era vital.

Van Helsing le agujereó el cráneo y le extrajo un coágulo. Sin embargo, eso no aseguraba que pudiera salvarse. Lo único que podíamos hacer era esperar.

Transcurridos unos minutos, el paciente empezó a moverse. Abrió los ojos y fijó la mirada en el techo. Luego, como si estuviera contento de estar allí, relajó la expresión de la cara. De repente, se agitó y dijo:

—¡No puedo moverme, sáquenme la camisa de fuerza! —Los demás nos miramos extrañados: no llevaba ninguna camisa de fuerza—. ¡He tenido una terrible pesadilla...!

—Cuéntenos lo que ha soñado —le animó Van Helsing.

Al oír la voz del profesor, la cara de Renfield se iluminó. A continuación, exclamó como si volviera a revivir la pesadilla que había tenido:

—Pero no es posible; no, ¡ha sido real! ¡Deprisa, profesor, me estoy muriendo! ¡Lo presiento, me muero o algo peor! Mójeme los labios con coñac.

—Siga hablando, por favor —dijo Van Helsing haciendo lo que le pedía.

—¿Recuerdan aquella noche que quería marcharme de aquí? Fue el día que él vino. Se presentó en la ventana, envuelto en niebla, como solía hacerlo. Al principio no le dejé entrar, pero me prometió vidas... Me envió moscas, arañas y ratas, cientos, miles, millones de ratas... Le obedecían. Con un solo gesto de la mano, detuvo a todas las ratas. Entonces aullaron los perros que se comían a las ratas... Los vi a través de la ventana. De pronto apareció algo semejante a una nube roja del color de la sangre y me quedé sin voluntad. Fue cuando abrí la ventana y dije: "Entra, amo y señor".

»Pero después no me dio lo que me había prometido. Regresó al día siguiente, y al otro, y nada, no recibí ni una mosca. Ni tampoco en todo el día de hoy. Eso hizo que me enfadara. Y todavía me enfadé más cuando se deslizó por la ventana sin mi permiso. Estaba furioso. Cuando esta tarde ha venido a verme la señora Harker, me he dado cuenta de que ya no era la misma. Estaba pálida, y a mí no me gustan las personas pálidas. No tienen sangre. Luego, al pensar en eso, comprendí que él le estaba sorbiendo la vida. No quiero que le haga eso a la señora Harker. Por eso decidí enfrentarme a él. Y a punto he estado de ganarle. Pero, cuando lo tenía bien agarrado, me ha clavado sus ojos de fuego y me he quedado sin fuerzas. Se ha liberado de mí, me ha levantado en el aire y me ha arrojado contra el suelo.

Sus palabras me estremecieron. No sabía si era rabia o miedo lo que sentía. Intercambiamos una mirada entre nosotros y, sin decir palabra, corrimos escaleras arriba. Recogimos las armas especiales que disponíamos de la primera expedición a la casa del conde y fuimos hasta la habitación de los Harker. Nos detuvimos ante la puerta. Estaba cerrada con llave, pero la forzamos. La puerta se abrió de golpe y del impulso caí al suelo. Al levantarme, me horrorizó lo que vi.

Jonathan dormía. Arrodillada junto a la cama, estaba Mina, y al lado de ella había un hombre. Era alto y delgado, y vestía totalmente de negro. Aunque estaba de espaldas a la puerta, enseguida pensamos que era el conde. Sujetaba los brazos de Mina con una mano. Con la otra, la cogía por la nuca para apoyar la cabeza de la mujer en su pecho. El camisón blanco de la señora Harker estaba manchado de sangre, y también lo estaba el pecho del conde, cuya ropa desgarrada había dejado al descubierto.

Al irrumpir en la habitación, el conde se volvió hacia la puerta. Al vernos, se puso furioso y arrojó a su víctima sobre la cama. Sus ojos despedían chispas, tenía los labios llenos de sangre y las fosas nasales le temblaban. Todo él irradiaba odio. Cuando se abalanzó contra nosotros, Van Helsing reaccionó con rapidez: alzó una hostia consagrada. Los demás le enseñamos las cruces y avanzamos hacia él.

El conde se detuvo de inmediato, como había hecho la pobre Lucy delante de su tumba. En unos segundos, se había transformado en vapor y se escurría por la

ventana. Entonces vimos a un murciélago volando hacia el oeste. Eso significaba que no iba a dormir a Carfax. Estaba claro que tenía alguna otra guarida.

La pobra Mina soltó un grito espantoso. Acababa de recobrar el conocimiento. Al principio permaneció tendida, sin moverse. El hililo de sangre que le corría por el mentón resaltaba su palidez de muerta. Tenía los ojos desencajados. La cubrimos con la colcha y despertamos a su marido. Cuando este vio lo que pasaba, exclamó:

—¿Qué significa toda esta sangre? ¡Doctor Seward, profesor Van Helsing! ¿Qué ha pasado?

Saltó de la cama y se vistió, decidido a salir en busca de Drácula para, como dijo, matarlo. Adivinando el peligro al que se iba a exponer, Mina lo detuvo.

—¡No, por favor, querido, no me dejes! No soportaría que algo malo te pasara. Quédate con nuestros amigos, ellos vigilarán.

Por unos instantes, Mina se quedó tranquila con la cabeza apoyada en el pecho de su marido. Pero cuando se incorporó y vio la sangre, estalló en sollozos:

—¡Estoy infectada! No debo tocarte ni besarte... ¡Nunca más!

Intentamos que se calmara. Jonathan le prohibió que dijera tales cosas y la abrazó con ternura hasta que logró que se serenara.

Poco después, regresaron Arthur y Quincey, que habían salido en persecución del conde. No habían ni

rastro de él por ninguna parte. Pero descubrieron que había quemado los manuscritos y las cintas de mi despacho. Por suerte, tengo copia de todo. Luego, recorrieron los pasillos del manicomio sin encontrar huellas del conde. Hasta que llegaron a la habitación de Renfield, al que encontraron muerto. ¡Pobre hombre! Luego habló Van Helsing, que se disculpó antes de pedir a Mina que contara todo lo que recordara de esa noche. Esto es lo que ella explicó:

—Aunque me tomé el somnífero que usted me dio, doctor, no podía dormir. Daba vueltas a las historias de vampiros, imaginándome lo peor, hasta que por fin me entró sueño. Debí de dormirme porque no recuerdo nada más, hasta que me desperté y Jonathan estaba acostado a mi lado. Dormía profundamente. Intenté despertarle cuando noté que en la habitación había una extraña niebla blanca, como la de ayer... como la de anteayer... Pero no pude, y eso me asustó. Entonces lo vi, como si la niebla se hubiera transformado en él. Solo podía ser el conde. Incluso tenía la cicatriz en la frente que tú le hiciste, Jonathan. Con un susurro, me advirtió que si hacía el menor ruido te reventaría la cabeza. Yo estaba como paralizada, sin voluntad. Entonces, reveló que no era la primera vez que se alimentaba de mí, que mis venas le calmaban la sed. No comprendo por qué, pero me dejé llevar. Me mordió la garganta y sentí una sensación... dulce. —En este punto, Mina comenzó a llorar, sintiéndose avergonzada y culpable—.

¡Entonces se desgarró la camisa, se hizo un corte en el pecho con una uña, y me obligó a beber su sangre! ¡Fue espantoso! Burlándose, dijo que vosotros deberíais cuidar mejor vuestra casa, ya que, mientras le perseguíais, él se apoderaba de lo que más apreciáis. Y dijo también que ahora soy carne de su carne, sangre de su sangre, familia de su familia. «A partir de ahora, cuando te lo pida, me obedecerás», han sido sus últimas palabras.

El cielo ya clareaba cuando Mina terminó su relato. Jonathan estaba callado y tenía una expresión sombría. Hemos acordado montar guardia para cuidar de la desafortunada pareja mientras pensamos algún plan.

Capítulo 22

Diario de Jonathan Harker

3 de octubre.- Después de lo que ha pasado esta noche, hemos de reunir fuerzas para combatir al malvado conde. Mina tiene razón cuando dice que la fe se pone a prueba en las dificultades y que debemos seguir confiando el uno en el otro.

El doctor Seward nos ha explicado cómo descubrieron el cuerpo brutalmente golpeado de Renfield. Al no haber nadie con él, según aseguró el celador que hacía guardia en el pasillo, resultaba imposible comprender cómo se había producido las heridas de su paciente. Por eso decidió certificar que la causa de su muerte había sido un accidente. Luego hemos acordado que lo mejor era que Mina estuviera al corriente de los progresos de la investigación. Porque había resultado que,

queriendo protegerla, no conseguimos más que empeorar las cosas. A partir de ahora, ella será una más del grupo y estará informada de todo.

—Querida Mina, ¿no tiene miedo, no ya por usted, sino por los demás? —le ha preguntado Van Helsing esta mañana.

—No, porque he tomado una decisión. Si descubro que puedo llegar a suponer algún peligro para aquellos a quienes quiero, me mataré. ¡No quiero convertirme en un vampiro!

—¿Se quitaría la vida usted misma? —le ha preguntado Van Helsing, impresionado.

—Lo haré, si no encuentro a nadie que quiera ahorrarme este sufrimiento —ha afirmado mirando con seguridad al profesor. Este se ha acercado para decir de forma muy solemne:

—No sufra, querida. Si llega el momento y no hay otro remedio, me comprometo a prestarle mi colaboración. ¡Pero no tiene que morir! No mientras Drácula esté vivo. Porque si sigue siendo un no-muerto y usted muriese, se convertiría en una no-muerta a su servicio. ¡No, usted debe vivir!

Ella se ha estremecido y ha dicho que lucharía hasta el final contra el mal que lleva en su interior.

—Bueno —ha seguido entonces Van Helsing—, tenemos todo el día para descubrir dónde tiene el vampiro sus madrigueras y esterilizarlas con ajos y hostias consagradas. Si no podemos destruirlo a él, por lo menos le

pondremos las cosas más difíciles. Acabar con él ya solo es cuestión de tiempo.

Yo estaba impaciente por actuar de inmediato, pero Van Helsing me ha convencido de que lo mejor era ir paso a paso. Para empezar, hemos decidido que volveremos a la casa de Piccadilly, donde muy probablemente encontraremos al conde. Si no es así, al menos allí podremos encontrar documentos de otras propiedades que suponemos que posee, unos documentos que necesita guardar en alguna parte. El doctor, Van Helsing y yo nos quedaremos en la casa, mientras Arthur y Quincey irán a destruir las otras madrigueras donde han ido a parar el resto de las cajas con tierra. Se ha planteado un problema: cómo entrar en la casa. Pero Van Helsing ha dado con la solución. Basta con llamar a un cerrajero que actúe a plena luz del día, a la vista de todo el mundo. Es la mejor forma de no despertar sospechas, sin duda. Mina nos esperará aquí, en el manicomio.

—Pero no tema, Mina. No corre el menor peligro hasta la puesta de sol —la ha tranquilizado Van Helsing—. Y, para entonces, nosotros ya habremos regresado. Por si acaso, la protegeré poniéndole en la frente este trozo de hostia consagrada...

Cuando el profesor lo ha intentado, hemos oído un grito desgarrador. ¡La frente de Mina tenía una quemadura! La hostia le ha hecho el mismo efecto que un hierro candente. Ella ha entendido enseguida lo que significaba aquello. Ha caído de rodillas y se ha tapado la cara con las manos.

—¡Estoy infectada! ¡Me he vuelto como él! ¡Hasta las cosas sagradas me rechazan!

La he abrazado, y todos hemos llorado en silencio. Van Helsing ha tratado de consolarnos:

—Mina, tendrá que cargar con esta cruz hasta que Dios lo crea oportuno. Quiero creer que Él nos ha escogido para combatir el Mal. Estoy convencido de que cuando destruyamos al monstruo, esa quemadura desaparecerá.

Nos hemos jurado fidelidad los uno a los otros para salvar a Mina, a la que todos queremos. He decidido no abandonarla si al final se convierte en vampiro. Quizá haya sido así como los vampiros han podido sobrevivir, aprovechándose del amor...

Enseguida nos hemos puesto en acción. Primero hemos ido a Carfax, donde entramos sin dificultad. El lugar seguía en el mismo estado de abandono en que lo vimos la primera vez. Lo hemos registrado de arriba abajo, pero no hemos encontrado ningún documento, nada. En la capilla seguían las veintiocho cajas con tierra. Van Helsing las ha esterilizado colocando un trozo de hostia dentro de cada una. De esta manera, el conde ya no podrá dormir nunca más en ellas. Una vez terminada esta tarea, las hemos dejado como estaban para que el conde no notase nada raro en caso de que volviera por aquí. Nada más quedaba por hacer en

Carfax. Hemos ido a la estación a coger un tren hacia Londres. Al pasar por delante del manicomio, he visto a Mina asomada a la ventana de nuestra habitación. Aunque me ha devuelto el saludo, no he podido evitar que se me encogiera el corazón.

He escrito lo anterior durante el viaje en tren.

Piccadilly, 12:30.- Arthur ha propuesto que nos dividiéramos para no llamar la atención. Él y Quincey han ido a buscar a un cerrajero, mientras Van Helsing, el doctor Seward y yo hemos ido a un parque cercano a la casa de Piccadilly. Nos hemos sentado en un banco desde el que veíamos la mansión a esperar a que los otros llegaran. El aspecto tétrico de aquella vivienda contrasta con los elegantes edificios de la calle.

Al fin los hemos visto descender de un carruaje acompañados de un hombre que cargaba con una caja de herramientas. El cerrajero ha hecho varios intentos con el manojo de llaves que ha sacado de la caja antes de conseguir abrir la puerta. Hemos esperado a que el hombre se fuera para cruzar la calle y llamar. El lugar olía fatal, un olor que me ha recordado la capilla de Carfax. Es un indicio claro de que Drácula también utiliza este lugar durante el día. Nos hemos puesto a inspeccionar la casa en grupo, porque son muchas las probabilidades de que el conde esté aquí y pueda atacarnos. Hemos tenido suerte: en el comedor había ocho de las nueve cajas que nos faltaban. Pero en

ninguna de ellas estaba el conde. Las hemos esterilizado del mismo modo que a las de Carfax. Luego hemos ido a buscar más cajas, sin éxito. En cambio, hemos encontrado muchas cosas suyas. Entre ellas, las llaves y las escrituras de varias casas adquiridas por Drácula en Londres, un peine, un cepillo para la ropa, un lavamanos manchado de sangre... Arthur y Quincey han salido con el manojo de llaves a localizar las otras madrigueras para destruir las cajas que pueda haber en ellas. Nosotros tres estamos esperando a que regresen... o a que venga el conde.

Capítulo 23

Diario del Dr. Seward

3 de octubre, más tarde.– Mientras esperábamos a Arthur y a Quincey, el tiempo pasaba muy despacio. Para distraernos, Van Helsing nos ha contado más cosas sobre el conde.

—Cuanto más sé sobre Drácula, más convencido estoy de la necesidad de acabar con él. En vida fue un hombre extraordinario, valiente, inteligente, un soldado y alquimista... Piensen que la alquimia era la ciencia más avanzada de su época. A lo largo de los siglos, ha tenido tiempo de sobra para acumular conocimientos. Aprende experimentando. Se pone a prueba constantemente para saber hasta dónde alcanza su poder. Por ejemplo, con las cajas. Al principio, las transportaban otros; luego probó a trasladarlas él mismo. Cuando se dio cuenta de que podía hacerlo, ya no necesitó a nadie. Y, de este modo, es el único que conoce su paradero. En ciertos aspectos tiene la mente de un niño, pero el tiempo juega a su favor: puede permitirse el lujo de esperar y actuar con cautela porque tiene siglos de vida por delante. Solo que algunas cosas las ha aprendido tarde, y eso nos ha permitido seguir su pista

Han llamado a la puerta. Era el cartero. Traía un telegrama de Mina. En él decía: «Cuidado con D. Acaba de salir de Carfax. Seguramente les estará buscando. Mina».

—¡Por fin nos veremos las caras! —ha exclamado Harker. Por su aspecto, se diría que en las últimas horas ha envejecido diez años.

—Esta es la ocasión que esperábamos. ¡Por fin ha llegado el momento de actuar y destruir a Drácula! El vampiro no puede cambiar de forma hasta la puesta de sol. Eso quiere decir que, mientras haya luz de día, su poder está limitado al que tiene cualquier hombre normal —ha asegurado Van Helsing.

Poco después, Arthur y Quincey han regresado. Su misión ha sido un éxito: han entrado en las dos casas que han ido a inspeccionar y han esterilizado las cajas con tierra que han encontrado en ellas: seis en cada una. Eso reduce a una sola el número de cajas que Drácula todavía puede usar.

En ese momento, hemos oído el ruido de una llave girando en la cerradura. Van Helsing nos ha distribuido

con gestos por la habitación, para poder acorralar al conde entre los cinco. Llevábamos las armas listas, las del espíritu (el crucifijo, la hostia...) en la izquierda, y las mortales (la estaca, el martillo, el machete...) en la derecha. Hemos esperado en silencio unos minutos que han durado una eternidad. Unos pasos lentos y prudentes se acercaban. Sin duda, el conde sospechaba que estábamos en la casa.

De repente, la puerta se ha abierto con violencia y el conde ha irrumpido de un salto en la habitación. Ha sido un salto inhumano, como de pantera. Nos ha dirigido una mirada fría, llena de odio y maldad. Harker ha sido el primero en reaccionar. Se ha abalanzado sobre él con un machete en la mano. El conde ha esquivado ágilmente la cuchillada que le ha lanzado, pero no ha podido impedir que la hoja del machete le rasgara la chaqueta y que por esa rasgadura saliera un montón de billetes. Entonces, alzando los crucifijos, lo hemos acorralado y él ha ido retrocediendo hacia la ventana. Nos miraba con unos ojos rojos como llamas, y la cara pálida se le ha vuelto verde. Ha esquivado un segundo ataque de Harker, ha cogido un puñado de billetes del suelo y ha saltado por la ventana.

Hemos corrido hasta la ventana y le hemos visto levantarse del suelo del patio como si nada. Se ha vuelto hacia nosotros y ha gritado furioso:

—¡Creéis que podéis detenerme! ¡Creéis que habéis destruido mis tumbas, pero tengo más! ¡Mi venganza

solo ha hecho que empezar! ¡Y durará por los siglos de los siglos! Las mujeres que amáis son mías y, a través de ellas, también vosotros seréis míos. Vosotros y muchos otros... ¡Me alimentaréis y me obedeceréis!

Morris y Harker han salido corriendo para perseguir al conde, pero ha sido inútil. Como siempre, el profesor se ha mostrado optimista, en parte para animar a Harker:

—Nos tiene miedo. De otro modo no se explica que tenga tanta prisa. ¿Y por qué ha cogido el dinero? —Dicho esto, ha empezado a quemar todas sus cosas, por si volvía a la casa—. Ya solo le queda una caja con tierra, y la encontraremos.

Como estaba oscureciendo, nos hemos dado prisa para volver al lado de Mina, que estaba sola en el manicomio. Es tan buena que ha disimulado su decepción al saber que no habíamos destruido al monstruo. Incluso ha intentado darnos ánimos.

—Quiero que tengan en cuenta una cosa: un día el vampiro fue un hombre, un hombre bueno. Tengan piedad de él, como quizá un día deberán tenerla también conmigo —nos ha dicho, consciente de la marca que lleva en la frente.

No hemos podido contener las lágrimas, conmovidos por su bondad y tristes por nuestro fracaso. Acabamos de dejar al matrimonio descansando en su habitación. Los demás montaremos guardia junto a su puerta por turnos.

Madrugada del 3 al 4 de octubre.- Me aterra la sola idea de que no lleguemos a descubrir la única caja con tierra que puede servirle al conde. ¡Lo que podría llegar a hacer este malvado mientras tanto! Pese a todo, al pensar en lo que ha dicho Mina durante la cena, me siento culpable de odiarlo. ¡Qué día tan largo! Estoy muy cansado y, sin embargo, no tengo sueño. Pero debería dormir, porque mañana va a ser una jornada agotadora.

Debo de haberme quedado dormido porque, de repente, Mina estaba sentada en la cama junto a mí y me tapaba la boca con una mano.

—¡Jonathan, hay alguien en el pasillo!

He abierto la puerta con suavidad. Fuera me he encontrado con la cara sonriente de Quincey, que me ha pedido que volviera a la cama. Siempre habrá alguien en el pasillo vigilando, me ha tranquilizado. Se lo he comunicado a Mina, que ha suspirado aliviada y enseguida se ha vuelto a dormir. Pero a mí se me ha pasado el sueño.

4 de octubre, por la mañana.- Mina me ha despertado por segunda vez.

—Ve a buscar al profesor. He tenido una idea: ha de hipnotizarme antes de que se haga de día. Es posible que así podamos conocer los planes de Drácula.

Minutos más tarde, Van Helsing estaba sentado en nuestra cama moviendo las manos delante de Mina y con la mirada fija en la de ella. Mina tenía los ojos abiertos y su voz sonaba soñolienta. Estaba como ida, tanto que no ha notado que todos nos hemos colocado a los pies de la cama. No parecía ella. Una vez que ha comprobado que estaba en trance, Van Helsing le ha preguntado:

—¿Dónde está?

—No lo sé. Todo está oscuro.

—¿Qué oye?

—Oigo ruido de agua, como un gorgoteo, y el golpear de pequeñas olas.

—Entonces, ¿está en un barco?

—¡Sí!

—¿Oye algo más?

—Pisadas, arriba. Alguien que anda de un lado para otro. El chirrido de una cadena.

—¿Usted qué hace?

—Nada. Estoy inmóvil. ¡Como muerta!

De esta manera es como hemos averiguado que el conde está huyendo. Ha embarcado dentro de la última caja con tierra que le quedaba. Eso explicaría que cogiera el dinero, por ejemplo, porque lo necesitaba para pagar el barco. También explicaría que tenga tanta prisa, para que no le cojamos antes de la puesta de sol. Ahora la pregunta es: ¿adónde se dirige?

—Si se va, ¿tenemos que perseguirlo? —ha preguntado Mina.

—¡Naturalmente! —ha sentenciado Van Helsing—. Ahora más que nunca debemos encontrarlo. Porque él puede vivir muchos siglos, pero usted es una persona mortal. El tiempo corre en contra nuestra desde que le dejó esa marca en su cuello, Mina.

Al oírlo, Mina se ha desmayado.

Capítulo 24

Diario de Jonathan Harker

4 de octubre.- Van Helsing está convencido de que el conde se propone volver a Transilvania. Es la última oportunidad que le queda después de no poder esconderse en la tumba de la pobre señorita Lucy, ni en ninguna de las casas que había adquirido en Londres. Ha aceptado que aquí no tiene nada que hacer y regresa a su país. El profesor está muy animado porque a Drácula le ha costado siglos llegar a Londres, y en cambio a nosotros nos ha bastado un día para expulsarlo. «A nuestra manera, somos fuertes. Y juntos, más todavía», han sido sus palabras. ¡Qué contenta está Mina! Saber que el conde se ha marchado la ha tranquilizado. Todos, menos ella y yo, han ido al puerto para investigar los movimientos de nuestro enemigo.

DIARIO DE MINA HARKER

5 de octubre.– En la reunión que hemos tenido para informar de las gestiones realizadas, ha quedado claro que Van Helsing estaba en lo cierto. El conde viaja en un velero hacia Varna, en la costa del mar Negro. Por lo que han averiguado, un hombre cuya descripción correspondía a la del conde estuvo preguntando por los muelles. El único barco que zarpaba ese día en dirección al mar Negro era el *Czarina Catherine*. Drácula ofreció a su capitán una elevada suma de dinero para que le dejara subir a bordo una caja que él mismo transportaba. ¡Para eso quería el dinero, claro está! Dio muchas instrucciones sobre dónde y cómo quería que se colocase la caja. Cuando se marchó diciendo que tenía mucho que hacer, el capitán le advirtió para que se diera prisa pues el barco zarparía antes de que subiese la marea. Nadie supo adónde fue, pero enseguida quedó claro que el *Czarina Catherine* no lograría zarpar a la hora prevista. Porque de pronto, del río subió una espesa niebla. Poco después, se presentó el misterioso individuo. Estuvo un rato en cubierta, envuelto por la niebla y ya nadie se fijó más en él, quizá porque la niebla se desvaneció tan rápido como se había levantado. Esto es algo muy raro, según han dicho los marineros. Más raro aún porque los tripulantes de otros barcos que subían por el río aseguraban no haber encontrado niebla. Los testigos interrogados vieron levar anclas al *Czarina*

Catherine y, por lo que han dicho ahora, ya debe de estar en alta mar. Mañana decidiremos a la hora del desayuno el siguiente paso que daremos.

Diario del Dr. Seward

5 de octubre.- Le he dicho a Van Helsing que no podemos contarle a Mina cuáles son nuestros planes. Tenemos que ser prudentes. Si ella puede saber cosas del conde cuando está hipnotizada, él también puede descubrir qué nos proponemos hacer a través de ella. Podría ser que entrase en su cabeza mientras ella duerme... El profesor está de acuerdo:

—La pobre Mina está cambiando. Se le está poniendo cara de vampiro: a veces la mirada se le endurece y tiene los dientes más afilados. Además, sus silencios son más frecuentes. Tendremos que decirle que no venga a nuestras reuniones. Así evitaremos que el conde se entere de nuestros planes.

Pero no ha sido necesario decirle nada. Ella ha llegado a la misma conclusión y ha decidido no bajar a desayunar con nosotros. El profesor y yo hemos sentido un gran alivio.

Hemos calculado que si el *Czarina Catherine* navegase a su máxima velocidad, tardaría tres semanas en llegar hasta Varna. Si viajásemos por tierra, con tres días tendríamos suficiente para hacerlo nosotros. Eso

nos da de margen hasta el día 17 de octubre. Nuestra intención es llegar antes que el conde y sorprenderlo en pleno día, cuando aún esté dentro de la caja.

—Allí hay lobos —ha advertido Quincey—. Nos llevaremos unos cuantos fusiles.

—¡Muy bien! Los cuatro iremos armados.

—¿Los cuatro? —se ha sorprendido Harker.

—¡Por supuesto! —exclamó Van Helsing—. Usted se quedará aquí para cuidar de su dulce esposa.

Diario de Jonathan Harker

5 de octubre por la tarde. – No sé qué pensar. ¿No habíamos quedado que no nos ocultaríamos nada? ¿Por qué entonces el doctor y Van Helsing han aceptado sin protestar que Mina no viniese a la reunión? Esta tarde la miraba mientras dormía tranquilamente, como una niña pequeña. De repente, ha abierto los ojos y ha dicho:

—Jonathan, tienes que prometerme que no me contarás nada de vuestros planes para destruir al conde, aunque te lo suplique. No mientras tenga esta señal en la frente.

Se lo he tenido que prometer, pero he sentido que algo se rompía entre nosotros. Después Mina ha estado muy alegre, una alegría que se nos ha contagiado a todos.

6 de octubre por la mañana.- Esta mañana, muy temprano, Mina me ha despertado para que fuera a buscar a Van Helsing. He supuesto que él esperaba algo así, porque lo he encontrado ya vestido en su habitación. Creía que Mina quería que el profesor la hipnotizase otra vez, pero me equivocaba.

—Profesor Van Helsing, he de acompañarles a Transilvania.

—¿Por qué? —ha preguntado él sobresaltado—. Usted corre más peligro por...

—Lo sé —ha admitido tocándose la frente—. Precisamente por eso necesito ir. Se lo diré ahora mientras luce el sol; después es posible que ya no sea capaz. Estoy segura de que acudiría junto al conde si él me lo ordenara. Incluso podría llegar a engañar a Jonathan. Y hay otra cosa: si voy con el malvado podría contarles cosas que ni yo misma sé, cosas que podrían servirles para acabar con él. De esta manera, les sería de gran utilidad.

Van Helsing le ha dado la razón. Les acompañaremos. Después, el profesor nos ha comunicado cuáles eran sus planes: primero subiremos a bordo del barco. Cuando hayamos localizado la caja, colocaremos sobre ella una rama de rosal silvestre para que el conde no pueda salir, y esperaremos a que no haya nadie por los alrededores antes de actuar. Nos ha advertido del peligro que corremos y que sería conveniente que dejáramos arreglados todos nuestros asuntos en Londres. Nunca se sabe qué puede ocurrirnos.

Más tarde.– He hecho testamento a favor de Mina.

El sol se está poniendo. Soy consciente del peligro que representa cada crepúsculo. No creo que sea conveniente que le comunique mis temores a Mina ahora. Por eso escribo todo esto en mi diario, para que pueda leerlo cuando todo haya pasado.

Capítulo 25

Diario del Dr. Seward

11 de octubre, por la noche. – Harker me ha pedido que escriba esto porque él no se siente capaz de hacerlo. Está demasiado trastornado.

La señora Harker nos ha mandado llamar antes de la puesta de sol. Es cuando disfruta de unos breves momentos de libertad. Después, vuelve a depender de la influencia del vampiro. El tránsito se inicia con un estado de paz, le sigue un estallido de libertad y luego un silencio ensimismado que indica que está recayendo.

Se le notaba tensa, como si en su interior se estuviera librando una terrible batalla. Sin embargo, unos minutos más tarde se ha controlado y, tras indicarle a su marido que se sentara a su lado, ha dicho:

—Se acerca el día en que tal vez estaré en contra de ustedes, en el lado enemigo. Recuerden que no soy como ustedes. Llevo en mi sangre un veneno que me destruirá indefectiblemente si algo no me redime antes. Quiero que me prometan que me matarán si llegase el momento de hacerlo. Si he cambiado tanto que sea preferible la muerte a la vida... Todos nosotros sabemos que, una vez que haya muerto, será posible liberar mi espíritu tal y como liberaron el de la pobre Lucy.

Después de que todos se lo hayamos prometido se ha mostrado muy agradecida.

—¿Yo también tengo que prometerlo? —ha preguntado Harker.

—Tú más que nadie, cariño. Nada deseo más que tú, la persona que más me quiere, seas la encargada de devolverme la paz.

A continuación, ha pedido a su marido que le lea el oficio de difuntos, el que se lee en los funerales. Ha sido una escena triste, conmovedora, solemne y al mismo tiempo dulce. Acabada la lectura del oficio todos nos hemos sentido muy aliviados.

Diario de Jonathan Harker

Varna, 15 de octubre.- Después de un viaje de casi dos jornadas en el Orient Express, hemos llegado a Varna. Mina parece haber recuperado fuerzas y duerme buena parte del tiempo. El doctor Van Helsing la hipnotiza cada día antes de la puesta de sol. Al principio le costaba entrar en trance, pero ahora se rinde enseguida. Entonces, el profesor tiene cierto poder sobre ella, que aprovecha para preguntarle sobre lo que ve y lo que oye. De ese modo, nos hemos enterado de que el *Czarina Catherine* se encuentra todavía en alta mar. Solo nos queda esperar a que el barco atraque y nos dejen subir a bordo. Esto no parece difícil de conseguir; aquí el dinero es todopoderoso para sobornar a los marineros y aduaneros. Pero lo más importante es que el *Czarina Catherine* llegue de día, porque el conde no podrá cruzar el agua ni siquiera si adopta la forma de murciélago. Es decir, le será imposible abandonar el barco, y nosotros podremos sorprenderlo dentro de la caja.

17 de octubre.- Arthur ha contado a los propietarios del barco que la caja embarcada podía contener objetos robados para que nos den permiso para registrarla. Van Helsing asegura que si le cortamos la cabeza al conde y le atravesamos el corazón con una estaca, su cuerpo quedará reducido a polvo rápidamente. Si es así, nadie podrá acusarnos de asesinato porque no habría cuerpo del delito. Sea como sea, estamos dispuestos a correr el riesgo.

24 de octubre.- Ha pasado ya una semana desde que llegamos. ¡El barco está a un día de camino! Es decir, llegará por la mañana. Eso significa que podemos descansar unas horas.

24 de octubre.- Echo de menos mi fonógrafo. No me acostumbro a escribir este diario a pluma. Todos estamos excitados, menos Mina. El estado de letargo en que pasa el día nos tiene preocupados, sobre todo a Van Helsing y a mí. El profesor me ha pedido que le examine los dientes; dice que si se le afilan sería una mala señal y deberíamos tomar medidas. Y eso significa que tendríamos que cumplir la promesa que le hicimos...

25 de octubre.- El barco no aparece por ninguna parte; tampoco hemos tenido noticias de él. En la sesión de hipnosis de hoy, Mina ha revelado lo mismo de los días anteriores. Por lo tanto, deberíamos saber algo muy pronto.

27 de octubre.- ¡Qué extraño! El barco tendría que haber llegado ayer. Mina sigue diciéndonos cada día lo mismo: «Oscuridad y ruido del agua golpeando la madera». Van Helsing teme que el conde pueda escapar. Al mismo tiempo, está muy preocupado por Mina, cada vez más desfallecida y ausente.

28 de octubre.- ¡Por fin, Arthur ha podido averiguar que el *Czarina Catherine* ha tocado puerto en Galati! No era lógico que el barco tardase tanto, así que presentíamos que las cosas no saldrían como habíamos planeado.

¿Cómo ha podido engañarnos el conde? Van Helsing ha llegado a la siguiente conclusión:

—Cuando Mina es libre, su alma puede ir y venir entre el vampiro y nosotros. Ella puede contar más cosas que él, que anda metido en un ataúd. ¡Es por ella que el malvado ha sabido que nosotros le estábamos esperando en Varna! Y ha utilizado su poder de crear niebla para envolver con ella el barco y hacer que avanzase sin que nadie lo viera camino de otro puerto. Apreciado John, le confieso que tengo miedo...

De repente, hoy Mina se encuentra muy bien. Hace un rato nos ha asegurado que se siente como «antes» y nos ha traído toda la documentación que hemos reunido sobre el conde. Van Helsing quiere estudiarla de nuevo. Entre los papeles ha encontrado lo siguiente: «El valiente Drácula invadió Turquía varias veces, pero siempre regresaba a su país para reponer fuerzas. Dejaba las tropas en manos del enemigo, pero estaba convencido de que al final vencería».

—¡Claro! Su infantil mente de criminal le lleva a repetirse. Como en Londres le derrotamos, huye a su castillo. Allí se preparará para un nuevo ataque. ¡Y mientras tanto, deja la tropa en manos del enemigo!

Esto último no lo hemos entendido, y el profesor ha tenido que explicarse:

—El conde ha cortado la comunicación con Mina. Ya no le interesa saber dónde estamos. Como ya nos ha engañado, solo quiere huir, y la mejor forma es romper el contacto con ella. No la llama para que ella no vaya donde él. Así Mina no conoce su paradero y, por tanto, nosotros tampoco. Por eso Mina se ha recuperado, porque el conde ha liberado su alma. ¡Es ahora, mientras Mina no corre peligro, cuando debemos encontrarlo y destruirlo!

Capítulo 26

Diario del Dr. Seward

29 de octubre.-Ayer costó mucho hipnotizar a Mina. Van Helsing tuvo que hacer un gran esfuerzo y acabó por interrogarla con tono severo. Esto fue lo que ella respondió:

—No veo nada, no oigo el golpear de las olas. Estamos parados. Voces de hombres, pisadas arriba. ¿Qué pasa? Siento la brisa marina en la cara, y una luz.

Luego se incorporó del sofá en el que estaba echada y alzó las dos manos, como si levantase un peso terrible. Todos sabíamos que pronto dejaría de hablar porque estaba saliendo el sol y ella abandonaría el estado de trance. De repente, abrió los ojos y nos preguntó en su dulce tono de siempre:

—¿Nadie quiere una taza de té?

No había duda: el conde estaba a punto de desembarcar. Ahora todo es cuestión de suerte: que el barco no toque tierra de noche para que Drácula no pueda cambiar de forma y escapar volando. Si amanece antes de que llegue a la costa, solo podrá moverse si lo transportan dentro de la caja, y entonces podría ser descubierto en la aduana. Hemos de confiar en que llegue de día, porque de esta manera ganaríamos tiempo. Para tener más información sobre la situación, hemos esperado a que amaneciera para poder interrogar a Mina bajo los efectos de la hipnosis.

Más tarde.- Hoy ha costado mucho más hacer que Mina entrara en trance. Faltaba tan poco tiempo para que saliera el sol que solo ha podido decirnos unas pocas palabras: sonido de agua, crujidos de madera. Ahora vamos camino de Galati. Como el tren lleva retraso, esperamos llegar cuando el sol esté muy alto. Eso nos da para dos sesiones más de hipnosis. Espero que las próximas veces nos proporcione una información más útil.

Por la noche.- Hemos tenido suerte porque, cuando se ha puesto el sol, nos encontrábamos en un lugar tranquilo para hacer la sesión de hipnosis. Juraría que Mina tiene más dificultad ahora para comunicarse con el conde. Lo que ha dicho ha sido enigmático: ruidos confusos, un viento frío, aullidos de lobos, voces de

hombres que hablan en lengua extranjera... ¿Cómo hemos de interpretarlo?

30 *de octubre.*- A punto de llegar a Galati. Estábamos tan ansiosos que Van Helsing ha empezado la sesión de hipnosis mucho antes de la salida del sol. Pero solo ha conseguido que se rindiera cuando apenas quedaba un minuto de tiempo. Lo que ha dicho en esta ocasión ha sido igual de enigmático:

—Oscuridad total. Oigo crujidos de madera, ganado a lo lejos, remolinos de agua y un ruido extraño...

En este momento, el profesor le ha ordenado que siguiera, pero ha sido inútil. La señorita Harker ha abierto los ojos y se ha quejado de que el profesor le pidiera que recordase cuando sabía que le era imposible.

DIARIO DE JONATHAN HARKER

30 *de octubre.*- Gracias a las influencias de Arthur, hemos conseguido los permisos para subir a bordo del *Czarina Catherine*. Hemos hablado con su capitán, que nos ha contado cómo había ido el viaje:

—Ha sido un viaje rapidísimo. ¡Era como si el propio diablo nos hinchase las velas! Al mismo tiempo, una densa niebla nos envolvía cada vez que divisábamos otro barco o pasábamos cerca de un puerto o de la costa. Por alguna razón, los marineros rumanos

querían que les dejase tirar al agua la caja que un viejo muy raro había embarcado en Londres. Son tan supersticiosos que no les hice caso. Y ayer por la mañana vino un hombre al muelle para llevarse la caja antes del alba. Me enseñó una orden que le habían enviado desde Londres para entregarla a un tal conde Drácula. Vi que todo estaba en orden y le entregué la maldita caja, muy contento de deshacerme de ella.

El capitán nos ha dado el nombre de la persona que recogió la caja. Le hemos ido a ver y nos ha informado de que había recibido instrucciones precisas para no pasar por la aduana. Luego, le entregó la caja a un tal Skinski, que trata con marineros que transportan mercancías por el río Danubio. Con Skinski no hemos podido hablar: lo encontraron con la garganta destrozada. Dicen que lo atacó un animal salvaje.

A la única conclusión a la que hemos llegado es que el vampiro navega por el río, pero ignoramos hacia dónde.

Diario de Mina Harker

30 de octubre. – Me ha conmovido verlos a todos tan desanimados. Les he convencido de que se echen una siesta mientras me dedico a pasar a máquina lo ocurrido hasta ahora. También pienso leer los papeles que me ha pasado Van Helsing.

He terminado de leerlos hace un momento. Añado a continuación la nueva conclusión a la que he llegado: como no tiene poder para trasladarse por sí solo al castillo, el conde Drácula necesita ser transportado por alguien. Por carretera y por tren se encontraría con muchas dificultades: curiosos, controles de aduana... Por agua le resulta más seguro, pero también peligroso. Un naufragio se llevaría la caja con la tierra al fondo del agua, y eso sería su perdición. Con ayuda de la niebla, la nieve o la tormenta, a las que Drácula tiene poder de invocar, lograría desembarcar siempre que no fuera en una región enemiga. Si se analiza la forma en que preparó su viaje a Inglaterra, y la forma en que ha planificado su traslado a Galati, deduzco que el conde viaja por el río Siret. Porque su afluente, el Bistrita, pasa lo bastante cerca de su castillo como para llegar hasta él sin tener que abandonar el río. Y por los ruidos que oía yo cuando estaba hipnotizada, lo hace en una embarcación sin cubierta, que navega contra corriente impulsada por remos o pértigas.

Más tarde.- Acabamos de decidir el plan de ataque. Arthur y mi marido alquilarán una lancha de vapor y lo perseguirán por el río. Quincey y el doctor Seward lo harán a caballo, siguiendo la orilla. Han pensado comprar seis animales por si tenemos que reunirnos con ellos. Van Helsing y yo... iremos al castillo de Drácula, haciendo el mismo camino que recorrió Jonathan.

—¡Por nada del mundo! ¡No lo consentiré! —ha saltado Jonathan para defenderme.

Pero Van Helsing lo ha convencido con sus explicaciones. ¿Qué ocurriría si el conde se nos escapa otra vez? Podría pasarse siglos durmiendo. ¡Y yo, cuando me llegase la hora de morir..., sería suya para siempre! Me convertiría en una vampira como aquellas tres que intentaron seducir a mi marido...

Más tarde.– Me alegra mucho ver trabajar a estos valerosos hombres. ¡Y este asunto me ha hecho pensar en el poder que tiene el dinero! Si no fuera porque Arthur y Quincey son ricos, no podríamos haber preparado tan bien esta expedición. Ahora tenemos una preciosa lancha de vapor, media docena de magníficos caballos y armas de fuego modernas.

He necesitado valor para despedirme de Jonathan. ¡Quizá no volvamos a vernos nunca más! Llevo conmigo una pistola. Van Helsing dice que será suficiente si tenemos que enfrentarnos a los lobos. La mancha de la frente me impide usar un rifle.

Diario de Jonathan Harker

30 de octubre, por la noche.– Escribo a la luz del fogón de la lancha. La navegación resulta cómoda incluso de noche, porque el río es ancho y el agua profunda. Arthur

me ha dicho que duerma, pero ¿cómo podría dormir pensando en el peligro que corre Mina? Tengo la sensación de estar yendo por una región desconocida llena de seres horrendos en un mundo de tinieblas.

31 de octubre.– Estoy de guardia. Acaba de amanecer y hace un frío espantoso. Arthur duerme. Las embarcaciones que hemos adelantado no llevaban a bordo ninguna caja como la que buscamos.

1 de noviembre, por la tarde.– Sin novedad. Nos hemos desviado por el río Bistrita, como habíamos planeado. Algunos marineros con los que nos hemos cruzado nos han hablado de una embarcación grande que navegaba muy rápida y con muchos tripulantes. Pero nadie nos ha sabido decir si había ido por el Bistrita.

2 de noviembre, por la mañana.– Seguimos navegando de día y de noche. Hoy, Arthur no ha querido despertarme para que le relevara en la guardia. No se ha atrevido, al verme dormir tan apaciblemente; es un buen camarada. Me pregunto dónde estarán Mina y Van Helsing. Supongo que cerca del lugar donde se encontraron la diligencia y el coche del conde. Espero que no les pase nada. Y tampoco al doctor Seward y a Quincey, que han de cruzar muchos arroyos que desembocan en el río. Si nieva, no sé cómo se las arreglarán con los caballos.

Diario del Dr. Seward

2 de noviembre.- No vemos la lancha desde hace unos días. Vamos todo lo deprisa que podemos. Solo nos detenemos cuando los caballos necesitan descansar; ni tiempo tengo de escribir.

3 de noviembre.- Está a punto de nevar. El frío es intenso, casi insoportable por momentos.

4 de noviembre.- Hemos sabido que la lancha ha tenido una avería al intentar remontar uno rápidos. Por lo que nos han contado unos campesinos, parece que no ha quedado muy bien y avanza con dificultad. Deberemos apresurarnos porque podrían necesitar nuestra ayuda.

Diario de Mina Harker

31 de octubre.- El profesor dice que le ha costado mucho hipnotizarme esta madrugada. Ha ido a comprar un carruaje y caballos para ir al castillo de Drácula. El paisaje es precioso. ¡Qué maravilloso sería si Jonathan y yo, los dos solos, estuviésemos recorriendo este lugar tan romántico! Pero las condiciones tendrían que ser muy distintas.

El profesor ha regresado con un cargamento de provisiones y de prendas de abrigo. Dice que podrían pasar muchos días antes de que volvamos a conseguir comida.

Capítulo 27

Diario de Mina Harker

2 de noviembre, por la noche.– Estamos llegando a los Cárpatos después de haber viajado todo el día. Los caballos agradecen que los tratemos bien, porque van a buena marcha sin que tengamos necesidad de fustigarlos. El doctor y yo nos turnamos para conducir el coche. El frío es espantoso; suerte de los abrigos de pieles que llevamos. Comemos sopa caliente y bebemos café o té para entrar en calor. Llevo la frente tapada con un sombrero, porque la gente de aquí se santigua contra el mal de ojo cuando me ve la mancha; son realmente muy supersticiosos. Pero también muy amables y generosos. Como cuando me despierto de la hipnosis no recuerdo absolutamente nada, le he preguntado al profesor qué le he contestado. Ha sido lo de costumbre: «oscuridad,

rumor de aguas y crujidos de madera». Eso significa que el conde sigue viajando por el río metido en la caja. A medida que avanzamos, nos adentramos en un paraje cada vez más montañoso, de altas cimas que se alzan a nuestro alrededor como un muro. Y cada vez hay menos granjas. Por eso el profesor ha dicho que, a partir de ahora, no tendremos ocasión de cambiar los caballos y deberemos cuidarlos más.

Apuntes de Abraham Van Helsing

4 de noviembre.– Escribo esto para mi viejo amigo el doctor John Seward, por si no nos volvemos a ver. Es por la mañana, hace un frío espantoso y Mina me preocupa: duerme todo el tiempo y ha perdido las ganas de comer. Y lo que es más raro: ya no escribe nada en su diario. Sin embargo, está muy despierta por la noche. Otra cosa más que me preocupa: ya no se deja hipnotizar. Como no escribe ya con su máquina, no tengo más remedio que encargarme personalmente de relatar lo que está sucediendo.

Ayer, antes de la puesta de sol, me preparé para la sesión de hipnotismo. Coloqué unas mantas en el suelo, cerca del lugar donde su marido cambió de coche cuando vino aquí solo. El sueño hipnótico de Mina fue más breve que de costumbre, y su respuesta fue la habitual de estos días: oscuridad, aguas turbulentas... Se despierta de buen humor y proseguimos nuestro viaje. Nos detenemos

cuando empieza a mostrarse impaciente. Una nueva fuerza se apodera de ella, porque de pronto indica el camino que debemos seguir para subir al castillo. La razón que da por conocerlo es que por ahí pasó Jonathan y este habla de ello en su diario. La hierba y la capa de nieve que acaba de caer no permiten distinguir el camino, por lo que suelto las riendas para que los caballos nos guíen. Pronto empezamos a reconocer algunos detalles que Jonathan describe en su diario. Mina se duerme y, cuando empiezo a sentirme asustado y trato de despertarla, no lo consigo. Anochece mientras vamos ascendiendo y ascendiendo, y las montañas que nos rodean son cada vez más rocosas y escarpadas. Me siento igual que si estuviéramos en el borde del mundo. Después, sí que consigo despertarla, pero no que entre en trance hipnótico. Aunque su aspecto tan saludable me desconcierta, como la veo tan animada y tierna me digo que no debo temer nada. Mientras yo me encargo de los caballos, Mina prepara la cena en el fuego que hemos encendido. Se niega a comer porque asegura que ha estado picando mientras cocinaba. Esto no me gusta nada. Luego nos envolvemos en las mantas y le pido que duerma. Yo me encargo de hacer guardia. Me adormezco y, cuando me espabilo, la encuentro aún tumbada pero mirándome con ojos relucientes. El sol por fin sale y Mina entra en un sueño tan pesado que no se despierta por más que la zarandee. Tengo que llevarla en brazos al carruaje. Su aspecto es tan saludable cuando está dormida que siento miedo, mucho miedo.

5 de noviembre, por la mañana.- Estamos al pie del castillo de Drácula. Durante el trayecto, Mina siguió durmiendo. Me gustaría saber si el maleficio del lugar influye en ella debido a su relación con el vampiro. Por si mi sospecha fuera cierta, me mantuve despierto toda la noche. Mina tampoco cenó nada ayer. Hice un círculo a su alrededor y pasé una hostia consagrada por encima de él. Mina permaneció inmóvil y se fue volviendo cada vez más pálida.

—¿No quiere acercarse al fuego? —le pregunté para comprobar si el círculo la protegía.

Lo intentó, pero no pudo. Eso me confirmó que ninguno de los seres influidos por el vampiro podría

cruzarlo. Los caballos estaban muy nerviosos. El silencio solo era roto por sus relinchos. Las ráfagas de nieve y la niebla fría que se extendía delante de nosotros parecían mujeres con largas capas. Sentí miedo, mucho miedo. Me metí en el círculo sagrado y por un momento me noté más seguro. Traté de convencerme de que eran imaginaciones mías, influido por lo que Jonathan relataba en su diario. Pero, entonces, las figuras empezaron a materializarse. Eran las tres mujeres que habían besado a Jonathan, en carne y hueso. Reconocí con claridad sus labios carnosos, sus formas sinuosas, sus ojos brillantes y de mirada dura, sus dientes blancos y afilados...

—¡Ven con nosotras, hermana! —le dijeron a Mina.

La miré. Mina estaba horrorizada, y eso me dio esperanzas: todavía no estaba del todo perdida. El círculo nos protegía y pude echar más leña al fuego. Continuamos así hasta el alba, con las tres damas de blanco acechándonos pero sin poder traspasar el círculo. Al amanecer, las tres figuras se disolvieron en un remolino de niebla que se alejó en dirección al castillo. Ahora Mina duerme como un tronco. Me tomaré un buen desayuno porque he de reponer fuerzas. Los pobres caballos están muertos.

Diario de Jonathan Harker

4 de noviembre, por la tarde.- La avería de la lancha ha sido una gran desgracia. Nos ha impedido dar caza a la embarcación que lleva al conde, por lo que mi querida Mina todavía continúa bajo su poder. Hemos conseguido caballos y volvemos a ir en persecución de Drácula con las armas listas.

Diario del Dr. Seward

5 de noviembre, por la tarde.– Al amanecer hemos visto una carreta que se alejaba del río a toda prisa. A lo lejos se oye a los lobos; otro obstáculo para nuestra misión. Tenemos todo listo y partiremos a caballo dentro de un momento. Cabalgaremos hacia la muerte.

Apuntes de Abraham Van Helsing

5 de noviembre, por la tarde.– He dejado a Mina durmiendo dentro del círculo y he subido al castillo. He ido directo a la capilla. Era tan fuerte la peste allí que me he mareado. Quizá me silbaban los oídos, pero juraría que he oído lobos aullando. Temí por la pobre Mina, porque los lobos sí que podrían atacarla traspasando el círculo sagrado. «¡Que sea lo que Dios quiera!», me he dicho. ¡Al fin y al cabo, siempre es mejor la boca de un lobo que descansar en la tumba de un vampiro!

Sabía que por lo menos tenía que haber tres tumbas habitadas. He encontrado la primera y me he quedado

fascinado, sin poder actuar. Estaba tan bella la mujer que la ocupaba mientras dormía su sueño de vampira que entendí que a muchos hombres les fallara el valor en una situación parecida. Hipnotizados por la belleza de la no-muerta, la contemplaban fascinados hasta que se ponía el sol y entonces la hermosa abría sus ojos llenos de amor, los atraía hacia su boca y...

Si no hubiese oído un débil gemido de Mina, quién sabe lo que habría sido de mí. Luego he encontrado las otras dos tumbas. ¡Sus ocupantes eran igual de hermosas! Pero mi mano no ha vacilado. Les he clavado la estaca y he soportado con entereza el horrible grito que han proferido al retorcerse sus cuerpos. Y luego les he cortado la cabeza. ¡Qué serenas parecían, justo antes de desintegrarse en polvo! Al cabo de los siglos, han recuperado la muerte y la paz. Una vez destruidas, he seguido buscando. No he tardado en encontrar un sepulcro más grande y suntuoso que los demás que tenía un nombre inscrito:

DRÁCULA

Estaba vacío y he puesto una hostia encima de la tapa, para que no pueda descansar en él. Antes de salir del castillo, he purificado sus puertas de entrada para que el conde no pueda cruzarlas nunca más.

Al volver al lado de Mina, esta me ha pedido que la siga:

—Nuestros amigos se acercan... Y él, también —ha dicho.

Diario de Mina Harker

6 de noviembre.-Ayer emprendimos el camino hacia el este. Yo sabía que Jonathan venia de allí. Íbamos cargados con provisiones y ropa de abrigo porque, hasta donde alcanzábamos a ver, estábamos en una región en la que no había la menor señal de vida. De repente, me sentí agotada. Van Helsing encontró una cueva perfecta en la que descansar y refugiarnos de los lobos. Oíamos todo el tiempo sus aullidos en medio de la nieve y la desolación. Me preparó un cómodo asiento con las pieles y me obligó a comer. Pero no podía: los alimentos me causaban repugnancia. Van Helsing no insistió y salió con unos prismáticos.

—¡Mire, mire! —gritó.

En medio de la ventisca, un grupo de hombres a caballo se acercaba a toda prisa. Entre ellos distinguimos un carro alargado que transportaba una gran caja rectangular. Por las ropas que llevaban aquellos hombres deduje que eran gitanos.

Al ver que el sol se ponía, noté un escalofrío. No había duda de que el conde iba dentro de la caja. ¡En unos minutos, Drácula podría convertirse en lo que quisiera y escapar! Mientras, Van Helsing había trazado otro círculo sagrado para protegerme.

El grupo del carro avanzaba a galope, en dirección al oeste. La ventisca arreció y por unos instantes no pudimos ver nada. Cuando la nevada perdió intensidad, acertamos a ver con los prismáticos a dos parejas de jinetes que perseguían a los gitanos de cerca. Los que iban detrás eran sin duda Quincey y el doctor Seward, mientras que los que venían del norte eran Jonathan y Arthur.

Desenfundé la pistola. Los aullidos de los lobos sonaban cada vez más cercanos y amenazantes. La tempestad de viento y nieve volvió a empeorar. Curiosamente, me fijé que un poco más allá el sol lucía brillante, a medida que descendía hacia las cimas de las montañas. Estábamos tan acostumbrados a vigilar las salidas y puestas del sol, que supimos que el crepúsculo no iba a tardar. En el camino, los perseguidores estaban ya encima del grupo de gitanos, que fustigaban a los caballos.

«¡Alto!», gritaron a la vez Jonathan y Quincey. Aunque no los entendieron, los gitanos se detuvieron al verse rodeados. Sacaron sus armas. Inmediatamente, los cuatro hombres de nuestro grupo se lanzaron contra el carro armados con sus rifles de repetición. Los gitanos saltaron de sus caballos con la intención de impedirles llegar al carro. Hubo un forcejeo y vi a Jonathan pasar entre sus oponentes, saltar al carro y arrojar la caja al suelo. En el momento en que se disponía a abrir la tapa de la caja, se le unió Quincey, que había sido herido en la lucha por abrirse paso y le sangraba un costado. El doctor Seward y Arthur apuntaron con los rifles a los gitanos, que se rindieron sin ofrecer resistencia. Haciendo palanca, Jonathan y Quincey consiguieron desclavar la tapa. El sol rozaba las cimas de los montes. Vi al conde tendido sobre la tierra, y su horrible mirada. Inmediatamente sus ojos pasaron a expresar una alegría triunfal: veía que el sol se estaba ocultando. Eso le impidió advertir cómo relampagueaba el machete de Jonathan. No pude reprimir un grito cuando la cabeza del conde rodó a un lado mientras Quincey le atravesaba el corazón con su cuchillo. El cuerpo del conde Drácula se desintegró y desapareció para siempre. Todo ocurrió en un abrir y cerrar de ojos.

Los gitanos huyeron, y los lobos fueron tras ellos. Corrí al lado de Quincey, que estaba tendido en el suelo.

—¡Muero feliz! ¡Mire! —dijo señalándome la frente—. ¡La mancha ha desaparecido!

Epílogo

Hoy hace siete años que Quincey Morris murió. Y también es el aniversario de nuestro hijo, el pequeño Quincey. Estoy seguro de que su madre cree que no se trata de una coincidencia y piensa que nuestro hijo ha heredado algo del espíritu de nuestro valeroso amigo.

Este verano fuimos a Transilvania, un país magnífico. El castillo sigue destacando en lo alto de la roca sobre una región desolada.

De regreso, hablamos con los demás amigos de aquella época. Tanto el doctor Seward como Arthur están felizmente casados, y ya somos capaces de rememorarla con absoluta normalidad. ¡Cuando pensamos en lo sucedido, nos cuesta creer que todo aquello que vivimos fuese real! Tampoco tenemos pruebas de que lo fuera.

—No pedimos a nadie que nos crea... —ha dicho Van Helsing con nuestro hijo en sus rodillas—. Este niño algún día sabrá lo valiente que fue su madre. Y que unos hombres la quisieron tanto como para arriesgarlo todo por ella.

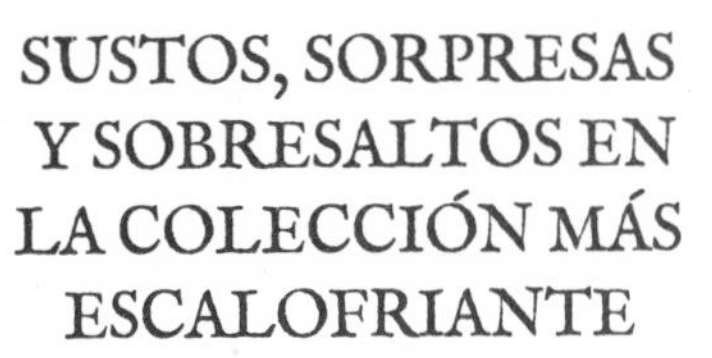

SUSTOS, SORPRESAS
Y SOBRESALTOS EN
LA COLECCIÓN MÁS
ESCALOFRIANTE

Con ilustraciones de
Antonio Navas

UNO DE LOS GRANDES CLÁSICOS
DE LA LITERATURA DE AVENTURAS,
EN UNA NUEVA EDICIÓN
ADAPTADA.

Lucy
Seward
Van Helsing